JN070255

沖縄の人生儀礼と墓

名嘉真宜勝

沖縄文化社

は じ め に

　人生儀礼とは、人の一生の重要な折目にあたって、個人が新たな段階に入ることを社会的に表示する儀礼のことである。通過儀礼ともよばれ、妊娠・誕生・成人・恋愛・結婚・厄年・死などの折目には、昔からさまざまな習俗儀礼がおこなわれてきた。

　戦後、生活様式の変化にともない人生儀礼もすっかり変わってしまった。たとえば昔のお産は、カッティ（産婆）をよんで自宅で出産したが、戦後はだいたいが病院での出産となっている。婚姻では、結婚相手を集落内から選ぶという習俗がすたれ、ほかの地域の人との結婚が一般的になった。葬制は風葬から火葬へと変わり、一部の地域をのこして洗骨習俗が消えてしまった。墓も掘込墓や亀甲墓から、セメント製の家形墓が流行するようになった。

　このように社会や生活様式が変化した今日、伝統的な人生儀礼というのはほとんどすたれてしまった。しかし、古くからの儀礼がまったく忘れられているわけではなく、トーカチ（米寿）やカジマヤーなどの長寿祝いでは、伝統が根強くまもられている。いまでは消滅したもの、簡素化されたもの、変化したものなどさまざまではあるが、失われゆく文化の中から今日を考えてみることは、伝統を踏まえたうえで新しい生活の視野を手に入れることにつながる。

　また、わたしたちの住む沖縄は「民俗学の宝庫」ともいわれる。それは、本土ではすでに失われた古い行事や信仰、しきたりなどがよくのこり、わが国の古代のすがたをよくとどめてるからである。単に合理性のみを追求するのではなく、本書に紹介した伝統的儀礼をとおして、温かみのある社会を営むための儀礼について一考していただければ幸いである。

● も く じ

● 表紙の写真「婚礼酒宴の図」司馬江漢(1738～1818)の絵

●沖縄の人生儀礼表

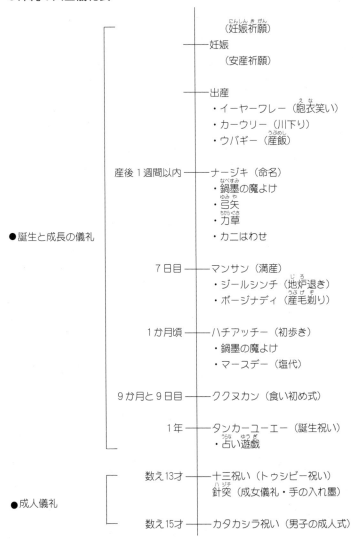

(妊娠祈願)

妊娠

(安産祈願)

出産
・イーヤーワレー(胞衣笑い)
・カーウリー(川下り)
・ウバギー(産飯)

産後1週間以内 ── ナージキ(命名)
・鍋墨の魔よけ
・弓矢
・力草
・カニはわせ

●誕生と成長の儀礼

7日目 ── マンサン(満産)
・ジールシンチ(地炉退き)
・ボージナディ(産毛剃り)

1か月頃 ── ハチアッチー(初歩き)
・鍋墨の魔よけ
・マースデー(塩代)

9か月と9日目 ── ククヌカン(食い初め式)

1年 ── タンカーユーエー(誕生祝い)
・占い遊戯

●成人儀礼

数え13才 ── 十三祝い(トゥシビー祝い)
針突(成女儀礼・手の入れ墨)

数え15才 ── カタカシラ祝い(男子の成人式)

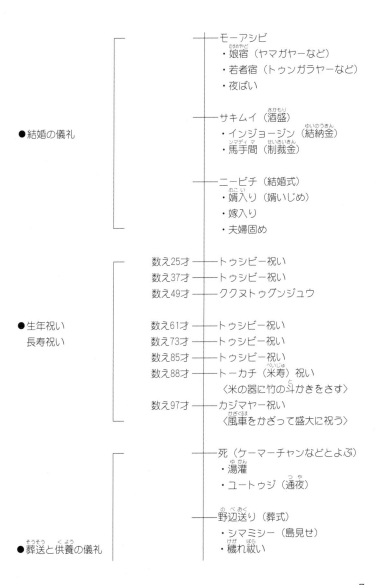

● 結婚の儀礼
- モーアシビ
  - ・娘宿（ヤマガヤーなど）
  - ・若者宿（トゥンガラヤーなど）
  - ・夜ばい
- サキムイ（酒盛）
  - ・インジョージン（結納金）
  - ・馬手間（制裁金）
- ニービチ（結婚式）
  - ・婿入り（婿いじめ）
  - ・嫁入り
  - ・夫婦固め

● 生年祝い
　　長寿祝い
- 数え25才 ── トゥシビー祝い
- 数え37才 ── トゥシビー祝い
- 数え49才 ── ククヌトゥグンジュウ
- 数え61才 ── トゥシビー祝い
- 数え73才 ── トゥシビー祝い
- 数え85才 ── トゥシビー祝い
- 数え88才 ── トーカチ（米寿）祝い
  - 〈米の器に竹の斗かきをさす〉
- 数え97才 ── カジマヤー祝い
  - 〈風車をかざって盛大に祝う〉

● 葬送と供養の儀礼
- 死（ケーマーチャンなどとよぶ）
  - ・湯灌
  - ・ユートゥジ（通夜）
- 野辺送り（葬式）
  - ・シマミシー（島見せ）
  - ・穢れ祓い

葬式の翌日	ナーチャミー（墓参り）
死後1週間ほど	ワカリアシビ（別れ遊び）
	〈墓に行き死者をなぐさめる〉
7日目	ハチナンカ（一週忌）
14日目	タナンカ（二週忌）
21日目	ミナンカ（三週忌）
28日目	ユナンカ（四週忌）
35日目	イチナンカ（五週忌）
42日目	ムナンカ（六週忌）
49日目	シンジュウクニチ（七週忌）
	・マブイワカシ（魂分かし）
死後初の 旧1月16日目	ミーサ（新仏）…墓参り
1年目	ユヌイ（一年忌）
3年目	ミチユヌユヌイ（三年忌）
	・洗骨
7年目	七年忌
13年目	十三年忌
25年目	二十五年忌
33年目	終り焼香（三十三年忌）
	〈死者の霊が神になる〉

※人生儀礼は地域や集落によってちがいが見られる。しかし大同小異でもあり、ここでは代表的なものを略述した。

●墓のまつり
○ジュウールクニチー（16日祭）…祖先供養のまつり・墓参り
○シーミー（清明祭）…中国伝来の祖先供養のまつり・墓参り
○七夕…お盆を中心とした祖先供養のまつり・墓掃除
○墓の落成祝い後におこなわれるもの
　・ミッチャヌスクニチ（三日の祝日）
　・墓の年忌…1年忌・3年忌・7年忌・13年忌・25年忌・33年忌

I　誕生と成長の儀礼

▲久米島比屋定の胞衣笑い　胞衣を埋めたあとその上に
石をのせる

1. 妊娠祈願

　結婚してもなかなか子どもができない夫婦は、子宝にめぐまれるようにと妊娠祈願をしたり、呪術的なふるまいをした。

　沖縄各地には、近親の子をあずかって育てる風習があり、これをミシクーガ（見せ卵）といった。ニワトリがたまごを産まない場合、巣にたまごを置くと、よく産むようになることからおこなわれた風習である。久米島の比屋定では、旧暦1月16日の夕方、ノロ（祝女）をたのんでダカリ橋というところで妊娠祈願をし、夫婦でその橋を3回往復した。それがすむと、供え物のごちそうをもって子宝にめぐまれた家を訪れ、それにあやかるという風習があった。宮古の狩俣では、結婚式のやり方が悪かったとして、小規模な結婚式をやりなおした。そのほか、つぎのような妊娠祈願がおこなわれた。

○特定の拝所で妊娠祈願をする。

○お産のあった家からウバギー（産飯）をもらって食べる。

○お産のあった家のいろりにくべる薪に馬乗りしてあやかる。

○子どものできない女は、お産のあった家の産水をもらってきてそれで体をふく。

○ユタ（巫女）の判断にしたがって祈願する。

▲妊娠祈願の拝所である和仁屋間のテラ

▲地炉（いろり）

2. 安産祈願

　医学の進歩にともない、昔にくらべてお産に危険がともなうということは少なくなった。しかし、かつて人々はお産に不安をいだき、出産にあたっては、安産を祈る呪術が各地でおこなわれていた。たとえば、妊婦のいる家で新築や改築があるときは、屋根の一部をふきのこしておき、お産がすんでからふきたすようにした。また、つぎのようないろいろな禁忌（タブー）があった。

○妊婦は馬の手綱をまたいではいけない。（12か月も子をはらむ）

○妊婦は欠けたお碗を使ってはならない。（兎唇の子が生まれる）

○妊婦は薪を逆さに入れてはいけない。（逆子が生まれる）

○妊婦は火事を見てはいけない。（赤アザの子が生まれる）

○妊婦はバナナや芋、大根などの二股になったものを食べてはいけない。（双子が生まれる）

○妊婦はタコやイカを食べてはいけない。（黒アザの子が生まれる）

○妊婦が敷居にすわって食事をしてはならない。（離別される）

○妊婦は忌中の家に行ってはならない。（死産児ができる）

○妊婦や夫はタオルを首にかけてはならない。（胎児の首にへその緒がからみつく）

○夫が豚や山羊などを殺したりすると、シベー（兎唇）の子が生まれる。

○夫が死者を運ぶ龕をかつぐと縁起がわるい。

○夫が墓の掃除をすると縁起がわるい。

○夫は墓口をあけるのを手伝ってはいけない。

○夫は身内の者が亡くなっても納骨を手伝ってはいけない。

　そのほかにもさまざまな禁忌があるが、いちばん重いタブーは妊婦が死の忌みにふれることである。夫に対する行為の制限も、やは

り死の忌みにふれることが最大の禁忌となっている。これらの禁忌には、五体満足な元気な子どもの誕生を期待する、人々の切実な願いがこめられている。

● 難産　難産で胎児がなかなか生まれないときには、つぎのようなことをおこなった。

　○味噌がめのふたをあける。

　○排水溝の掃除をして水の流れをよくする。

　○ナベなどふたのある容器は全部ふたをあける。

　○家の中に、物をしばったり結んだりしたものがあれば、そのひもをほどいておく。

　これらは琉球列島全域に広くみられる風習である。かつて難産は産道がふさがることだと思われていたので、出産のときには、ふさがっているものはすべて解放した。

3.　出産と成長

　昔は地炉（いろり）のある部屋が産室で、その入口には魔よけのしめ縄が張りめぐらされた。天井にはチカラヂナ（力綱）という綱がつるされ、妊婦はそれにすがり、そばの人が後ろから腰をかかえるようにして出産の手助けをした。かつては妊婦がすわったままで出産する座産であった。

　出産が間近になると、カッティとかクゥナシミヤーとよばれる経験豊富な老婦が産婆の役目をした。カッティのしごとは、分娩から産湯の面倒までで、ヘソつぎはとくに経験を必要とした。ところで、生まれた子から切ったヘソは大切に保管しておき、その人が死ぬときに、棺におさめて後生にもたせるという風習もあった。

　八重山の川平では、まず隣近所からカッティバーサンがよばれ、妊婦は地炉の火にあたって体をあたためた。出産の姿勢はチカラヂ

ナをにぎっての座産であった。出産と同時に、ピャクーとさけんで赤子の額に鍋墨が２回こすりつけられる。これは生まれた子がピャクー（百歳）まで長生きするようにとの願いからである。また、親戚がかけあつまり、無事出産したことをよろこびあう。親戚からは白い産着が贈られるほか、そうめんなどが届けられたり、マースデー（塩代）とよばれる祝儀が出た。

●へそつぎ　へそのことを沖縄本島ではフス、宮古ではプス、八重山ではプッといい、へその緒を切って結ぶことをフスチジュン（へそつぎ）という。「切る」ということばは縁起が悪いとして、へその緒を継ぐというふうに表現している。昔はへその緒は竹ベラやススキなどで切られたが、明治の末ごろからはカミソリやハサミなどが利用された。

　切り取ったへその緒のことをカリフス（乾いたへそ）という。カリフスを大切に保管しておくと、その子は健康で頭のよい子になり、なくすとまぬけな子になるといわれた。そのため、タンカー（１歳の誕生日）や小学校への入学の日、カリフスを本人に見せる行事があった。また、前述したようにその人が一生を終えたとき、棺箱に副葬品として入れる風習もあった。

●胞衣笑い　胎児を包んでいた膜と胎盤をイーヤー（胞衣）という。イーヤーはワラ束やぼろ布に包んで、家のうしろの軒下にうめられた。ただし、雨だれの落ちるところは目が悪くなるといっていやがられた。近所の子どもたちを笑わせながらおこなうこの儀礼には、元気で明るい子に育つようにとの願いがこめられており、イーヤーワレーといった。イーヤーをうめるのはたいてい夫であった。

　仲里村比屋定では、イーヤーは母屋に向かって門の左内側にうめられた。うめるときは、相性の当たる人が火の神をおがみ、赤子の額に鍋墨をつける。それから赤子を抱いて門の左内側を鍬で３

▲魔よけのサン

▲上の井（ウィーヌカー）旧佐敷町小谷の産井（うぶがー）

回穴をほる。ほるときには、魔よけとして鎌（かま）・火縄（ひなわ）・ススキのサン
が用意された。穴は軽く３回ほったあとで、別の人がさらに深くほ
り、イーヤーは根のついたススキおよび火縄といっしょにうめられ
た。また、土をかぶせるまえに弓矢でミーゾーキー（箕）（み）を３回射
る儀式があった。弓矢はそのあとで軒（のき）にさしておいた。沖縄本島で
は、ミーゾーキーを弓で射る儀式は命名（めいめい）の日におこなわれる。
●川下り（カーウリー）　もともとカーウリーは川へ行く行事であったが、簡略化
された地域では、へそつぎをすませた産児（さんじ）を産湯（うぶゆ）であびせることを
いうようになった。カーウリーの儀礼内容は、「お産のよごれもの
を川や海、井泉（せいせん）で洗う」「産井（うぶがー）の水を汲（く）んできて、生まれた子の額（ひたい）
にミジナディ（水撫（みずな）で）をする」「産井の水で産湯をつかわす」に
要約される。カーウリーの儀礼は、へそつぎがすむとすぐにおこな
われ、魔よけとして刃物などをもっていくところもあった。
　ところで、カーウリーとは沖縄諸島のことばであり、宮古（みやこ）ではミ
ズアマシ（水浴し）といっている。
●産飯（ウバギー）　子どもが生まれて、母子ともに健康であれば、その日にウ
バギーを炊（た）いて出産祝いがおこなわれた。地域によっては命名の日
に炊いて祝うところもある。

ウバギーは仏壇の祖霊（そ れい・そ な）に供えてからみんなにふるまわれた。また、おにぎりにして隣近所（と な り）の子どもたちにもくばられた、ウバギーの儀礼では、タームジ（田芋（た い も）の茎（く き））の入った汁が出る。田芋は繁殖（はんしょく）がよく、子孫（し そん）が繁栄するといってよろこばれた。

●夜伽（ユ ー ト ゥ ジ）　出産の日から１週間くらいはユートゥジといって、家族や親戚（しんせき）の婦人たちが、薪（ま き）を燃やしながら夜通し（よ ど お）産婦（さん ぷ）につきそった。

　読谷村楚辺（よみたん そ べ）では、親戚の人たちが集まってきて、雑談や三線を楽しみながらすごした。そこでは酒や夜食も出された。深夜になると、産婦の親兄弟が泊まり、ほかの人たちは帰っていった。このようなユートゥジは、産婦が産室から出るまでつづき、産婦は十分に休めない状態のときも多かった。

　ユートゥジには、産婦や子どもの世話（せ わ）をするだけでなく、鳴り物（な もの）入りで歌い踊ることによって、悪霊（あくりょう）をはらうという意味がこめられていたのである。

●産の忌み（さん い）　昔は出産は不浄（ふ じょう）なもの、つまりけがれたものとされていた。かつての産室は、地炉（ジ ー ル）のある部屋とそれに隣接するクチャ（裏座（うら ざ））とよばれる奥の部屋であった。地炉がない場合は、鉄鍋（てつ な べ）に土を入れて産婦に暖（だん）をとらせた。産婦は産後の７日間、火にあたって体をあたためたが、この間をジールウチといって産の忌みの期間とした。ジールウチには一般の人々も産家への訪問を遠慮（えんりょ）した。また、産室の入口には、魔よけとしてしめ縄をはりめぐらした。

　産の忌みは、３〜４日目がもっとも重く、この日を沖縄本島では３日ジール、４日ジールという。宮古の狩俣（みや こ かりまた）では４日ソージバリといって、夫はし出漁をみあわせた。また、八重山の竹富島（や え やま たけとみ）では、シラヤー（産室）に出入りした者は産後10日間、御嶽（ウ タ キ）に入ってはいけないことになっていた。

　産の忌み明け（い あ）は、沖縄ではジールシンチ（地炉退き（しゅうりょく））やジールウ

リ（地炉下り）、宮古・八重山ではソージバリ（精進晴れ）などとよび、7〜10日目までの間におこなわれた。この日、産室はていねいに掃除され、しめ縄がとりはらわれた。また、沖縄本島では、忌み明けをもって満産とよび、親戚縁者をまねいての祝宴がおこなわれた。

●命名　ナージキの日は各地まちまちであるが、ふつう産後1週間以内、つぎのような儀礼のときにおこなわれた。

　　　○カーウリー（お産のよごれものを洗い清める日）

　　　○マンサン（誕生から7日目、親戚縁者が集まって祝う日）

　　　○ジールシンチ（産の忌み明けの日、産婦が産室から出る日）

　　　○ソージバリ（宮古・八重山での産の忌み明けの日）

　　ナージキでの名まえはワラビナー（童名）とよばれるもので、戸籍上の名まえとはちがう性格のものであった。長男は祖父の名、長女は祖母の名というように、祖先や親戚の名まえがつけられた。宮古の狩俣では祖先の名以外に、御嶽の神名からつけるところがあった。

　　命名されると、ナーアシビ（庭遊び）といって、庭に立てたミーゾーキー（箕）を弓で射るしぐさがある。また、ミーゾーキーのそばに置かれたヘラで、ヘラの上にのせてあるオヒシバ（力草）を鋤くしぐさをする。それがすむと、火の神への報告があり、子どもの額に魔よけの鍋墨をつけたり、釜のめしをしゃもじで3回まぜかえしたりする。最後に子どもをねかせて着物をかけ、カニをはわせたりバッタを跳びはねさせた。この儀礼は、カカンという袴のような昔の下着をかぶった老女によって進められた。

　　石垣市川平では命名の日、男なら弓矢、女ならイビラ（しゃもじ）と頭上運搬具のカブシ（ガンシナ）を軒先につるした。宮古には弓を射るナーアシビのような儀礼はみられない。

ナージキ（命名）儀礼の小道具

▲ミーゾーキー（円形の箕）

▲ヘラ　草とりの農具

▲オヒシバ（力草）

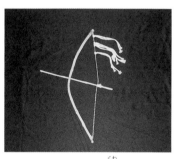

▲弓矢　弓は東に向いた桑の枝でつくる

▲イビラ（しゃもじ）

▲カブシ　頭上運搬具

■琉球王国時代の童名 （ワラビナー）

（「那覇市史」第2巻より要約）

	王子・按司（アジ）	諸士（しょし）	百姓（ひゃくしょう）
男	思徳金 ： ウミィトゥクガニ 思五良金 ： ウミグルガニ 思松金 ： ウミマツガニ 思次良金 ： ウミジルガニ 真山戸金 ： マヤマドゥガニ 思樽金 ： ウミタルガニ 真三良金 ： マサンルガニ 思金松金 ： ウミカニマツガニ 真麻刈金 ： ママカルガニ 思小樽金 ： ウミシュタルガニ 思真境 ： ウミマサカイ 真満金 ： マミチガニ 思武樽金 ： ウミンダルガニ	思徳 ： ウミトゥク 思五良 ： ウミグル 松金 ： マツガニ 思次良 ： ウミジル 真山戸 ： マヤマトゥ 樽金 ： タルガニ 真三良 ： マサンル 金松金 ： カニマツガニ 麻刈金 ： マカルガニ 小樽金 ： シュタルガニ 真境 ： マサカイ 真満 ： マミチ 武樽金 ： ンダルガニ	徳 ： トゥカー 五良 ： グラー 松 ： マツー 次良 ： ジラー 山戸 ： ヤマトゥー 樽 ： タルー 三良 ： サンダー 金松 ： カニマツー 麻刈 ： マカルー 小樽 ： シュタルー 境 ： サケー 満 ： ミチー 武樽 ： ンダルー 仁王 ： ニオー 百歳 ： ヒャークー
女	真鶴金 ： マヅルガニ 思戸金 ： ウミトゥガニ 思玉金 ： ウミタマガニ 思真伊奴金 ： ウミメーヌガニ 思玉津金 ： ウミタマツガニ 真銭金 ： マジニガニ 思真呉勢 ： ウミマグジ 真如古樽 ： マンクダル 万寿樽 ： マンジュダル	真鶴 ： マヅル 思戸 ： ウミトゥ 思玉 ： ウミタマ 真伊奴金 ： メーヌガニ 玉津金 ： タマツガニ 真銭 ： マジニ 真呉勢 ： マグジ 真如古 ： マンク 万寿 ： マンジュ	鶴 ： チルー 於戸 ： ウトゥー 玉 ： タマー 真伊奴 ： メーヌー 玉津 ： タマチー 銭 ： ジニー 呉勢 ： グジー 如古 ： ンークー 万寿 ： マージュー
男女	真蒲戸金 ： マカドゥガニ 思加那金 ： ウミカナガニ 真牛金 ： モウシガニ 真加戸樽 ： マカトゥダル 思武太金 ： ウミンタガニ	真蒲戸 ： マカマド 思加那 ： ウミカナ 真牛 ： モウシ 真加戸 ： マカトゥ 思武太 ： ウミンタ	蒲戸 ： カマドゥー 加那 ： カナー 牛 ： ウシー 真加 ： マカー 武太 ： ンター

●**満産**〔マンサン〕 沖縄本島では忌み明けのジールシンチ（地炉退き）をマンサンともいう。産後7日目ごろの儀礼で、ジールにいる期間はジールウチといって不浄とされた。この日、魔よけのしめ縄や漁網がとりはらわれ、ジールや産室はていねいに掃除された。そして親戚や近所の人が集まり、母子ともに健康でジールシンチができたことを祝った。また、この日に命名〔ナージキ〕をしたり、赤子の産毛〔うぶげ〕を剃るところもあった。

●**ボージナディ** 生後3度目の庚〔かのえ〕の日に、仏壇〔ぶつだん〕の間で赤子の髪に初のはさみを入れる儀礼があり、これをボージナディといった。かしらをなでる意味で産毛剃り〔うぶげぞり〕のことである。赤子の頭の上で魔よけの火縄〔ひなわ〕を3回ふってから切った。髪の毛はへその緒〔お〕といっしょに保管された。

●**初歩き**〔ハチアッチー〕 生後1か月頃になると、ハチアッチーといって、赤子を母親の実家や親戚〔しんせき〕の家につれていく風習がある。家を出るときには魔よけとして子どもの額〔ひたい〕に鍋墨〔なべずみ〕をつける。また、刃物や火縄をもって外出するまじないもあった。里方〔さとかた〕では、古くは塩を包んで子どもの懐〔ふところ〕に入れる習わしがあったが、現在は塩の代わりにお金を包みそれをマースデー（塩代）といっている。

　宮古〔みやこ〕や八重山〔やえやま〕では、ハチアッチーのことをヤームトゥガマシといっている。ヤームト（家元）とは、産婦の実家を意味したことばと思われる。

●**ククヌカン** 生後9か月目の9日におこなう食い初め〔くぞ〕の儀礼。一般的には、干したタコの足をしゃぶらせるが、首里〔しゅり〕の上流階級では、月桃〔げっとう〕の葉で包んだ餅〔もち〕をつくり、米粒〔こめつぶ〕ほどの大きさにちぎって食べさせた。この産育儀礼はおもに首里や那覇〔なは〕の一部でおこなわれた。

●**誕生祝い**〔タンカーユーエー〕 1年目の誕生祝いをタンカーユーエーという。この日は、火の神〔ヒヌカン〕や仏壇、神棚〔かみだな〕に赤飯〔せきはん〕とごちそうをそなえ、親戚縁者〔しんせきえんじゃ〕を招〔まね〕

いての祝宴がある。料理は、赤飯・吸い物・揚げ豆腐・てんぷら・豚肉・かまぼこなどである。

　この日、子どもの将来を占う意味で、座敷に赤飯・そろばん・本・お金・筆・農具などをならべて、それらを選ばせる占い遊戯がある。本をとれば学者、そろばんをとれば商売人、赤飯をとれば食べるのにこまらないというように、どれを選んでもよい意味に考えてよろこびあう。この占いは注目のまとであり、最初に選んだ物ははずしておいて何回かくり返す。

　タンカーユーエーは、首里・那覇がさかんである。宮古・八重山ではタンカーヨイといっている。また、宮古の平良ではタンカーを祝う風習はなく、サンザイヨイ（三才祝い）を盛大におこなっている。

　八重山の川平でも、本・筆・そろばん・魚・赤餅・天ぷらなどののった膳を置き、それを子どもに選ばせる。祖母は孫が丈夫に成長するようにと、仏壇、火の神、神棚を順次に拝み、ヒラウコウ（平線香）を24本ともす。また、仏壇には鏡餅・赤餅・天ぷら・花米を供える。鏡餅の大きいのは、必ず子守の子にあげることになっていた。

▲誕生祝いに選ばせる品物

▲誕生祝いのようす

20

産婆　免許をもった産婆が登場する以前は、各集落に出産の手助けをする経験豊かな老婆がいた。沖縄本島ではカッティやクワナシミヤー、宮古ではパーウンマ、八重山ではプスツンピトゥなどとよぶ。読谷村楚辺では、カッティをたのんだとき、お金、あるいは豆腐・そうめんなどの食べ物を手間賃としてあげた。カッティは産児を浴びせたり、産婦の容体を気づかったりしながら1週間ほどかよった。

養い親　子どもが病弱であったり、夜泣きがはげしかったりすると、親との相性が悪いということで、ヤシネーウヤとよばれる仮の親をもたせた。ヤシネーウヤは、ユタ（巫女）や三世相（易者）などの判断によってえらばれた。生まれた子の家でごちそうをつくり、ヤシネーウヤの火の神や仏壇にその関係を報告した。形だけの儀式であり、実際に育てるわけではなかったが、その子とヤシネーウヤとの関係は深いものであり、お互いに行き来して親交を深めた。

読谷村楚辺では、子どもが13歳になると、大人になったということでヤシネーウヤの火の神と仏壇に「もう13歳になりましたので、自分の家につれて帰ります」と報告する。しかし、子どもが成人したあとも、盆や正月にはまっさきにたずね、ヤシネーウヤが亡くなっても親戚のようなつきあいをしたという。

この風習は沖縄全域にみられ、宮古ではツキアサ、八重山ではヤスナイウヤとよばれた。

乳母　母親にかわって乳児に乳をのませる人。ミルクのない時代、母乳の出がわるいときは、親戚や隣近所の婦人からもらい乳をした。母乳を分け与える女のことを、沖縄本島ではチーアンマー、チーアン、宮古ではチチンマ、八重山ではヂチアッパなどとよんだ。

子守　産婦の体調が回復し、仕事ができるようになると子守が必要になる。家族に子守をする人がいない場合には、7～13歳くらいの適当な娘に子守をたのんだ。子どもが3歳前後になるまでだが、子守と子どもの関係は深く、成長したあとも家族同様のつきあいをした。

子守をする娘を沖縄本島ではムヤー、宮古ではムイアンガ、八重山ではムラニノアンマなどとよぶ。

4. 十三祝い

　沖縄では、12年ごとにめぐってくる自分の生まれた干支（えと）の年を祝う風習がある。これがトゥシビー（生年祝い〔せいねん〕）といわれるもので、数え年で13歳・25歳・37歳・49歳・61歳・73歳・85歳・97歳におこなわれる。

　13歳のトゥシビーは、とくに女子の成長を祝うもので盛大である。13歳のつぎは25歳のトゥシビーであるが、かつて25歳といえば結婚しているのがふつうであった。したがって、「十三祝い」が生家（せいか）での最初で最後の祝いであり、男子にくらべて一段とにぎやかにとりおこなう風習が生まれた。また、十三歳といえば、精神的にも肉体的にもいちじるしい成長の時期にあたり、いわば女子の成人式といえるものであった。

　男子の場合は、昔は「十五祝い」という成人式（元服〔げんぷく〕）があり、髪型を成人男子用のかたかしらに変え、大人の衣服を着用した。

5. 針突（ハ ジチ）

　かつて沖縄の女性が手にほどこした入れ墨（いずみ）のことである。近代まで南島には成女儀礼（せいじょ）として入れ墨をする風習があり、これをハジチ（針突）といった。南島におけるハジチの歴史は古く、伝説の一部に語られているように島津侵入（しまずしんにゅう）後のものでないことは明らかで、それは『使琉球録（しりゅうきゅうろく）』（1534年）や『琉球神道記（りゅうきゅうしんとうき）』（1605年）などに琉球婦人の入れ墨のことがのべられていることからもわかる。また、1719年に来島した冊封副使徐葆光（さっぽうじょほこう）の『中山伝信録（ちゅうざんでんしんろく）』には、15歳でハジチ模様（もよう）を完成すると記されている。

　ハジチの模様には地域や島によってちがいがあり、沖縄本島と八重山（えやま）では単純な形をしていたが、宮古（みやこ）には絣模様（かすり）などいろいろな種類の模様がある。ハジチはおもに指の背や手の甲にほどこすが、

22

宮古では肘のあたりまで突いている。はじめてハジチを突くのは7〜10歳のころで、最初は左右の中指と薬指に小さな丸印を入れた。その後、娘になってから矢のような模様にあらためたという。

　ハジチをする理由としては成女儀礼のほか、異国忌避・後生指向・結婚の印・装飾・慣習などが報告されている。異国忌避とは「ハジチをしないと大和につれていかれる」、後生指向とは「ハジチをしないとあの世で浮かばれない」というものである。ハジチのことをうたった歌謡には、「早くハジチをして一人前の女性として認められたい」というハジチ願望と、「お金はこの世限りのもの、私の手のハジチはあの世までも」という永世観念を託した歌が数多くのこされている。

　近代にはハジチを仕事とする人がいて、ハジチャー（針突者）とかハジチセーク（針突細工）などとよばれ、ほとんどが中年以上の女性であった。針突師の出身地は、首里や那覇方面のほか、与那原や佐敷、あるいは首里士族の寄留した集落にもいた。針突師は各地をめぐり歩いたり、一定の場所に宿を借りて商売をしたが、1899年（明治32）に禁止令が出ると、名まえや出身地をかくしていた。

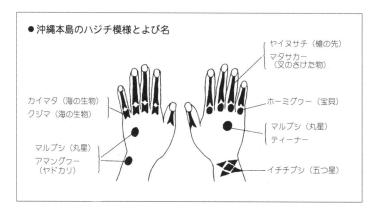

●沖縄本島のハジチ模様とよび名

ヤイヌサチ（槍の先）
マタサカー（又のさけた物）
カイマタ（海の生物）
クジマ（海の生物）
ホーミグヮー（宝貝）
マルブシ（丸星）
ティーナー
マルブシ（丸星）
アマングヮー（ヤドカリ）
イチチブシ（五つ星）

●ハジチ事例①（1885年生まれ）
　警察の目を逃れるようにして隣家のアサギ（離れ座敷）やクチャ（裏座）で4、5人をよんで突いた。施術回数は2回で、2回目は手直しであった。針は1本突きと束ね突きがあり、両方使い分けていた。非常に痛かったので、うつぶせになって両手をのばし、そばのふたりに手を押さえてもらっていた。ハジチを突いたのは、ハジチをしないと死後の世界で地獄の苦しみをうけるといわれていたので、それをさけるためであった。
　ハジチャーハーメーは60代の女性で、ごちそうを準備してもてなした。また、施術料を支払ったが金額はおぼえてない。

●ハジチ事例②（1888年生まれ）
　11、12歳のころに1回だけ突いた。針を4、5本束ねたものに上等の墨をつけてブッチリブッチリと突いた。自分のは小さいハジチであったので、手をつかまえる人はいなかった。大きいハジチ（完全形）を突いた人は4、5日間、傷が治るまではごちそうを食べながら夜明けまで遊んでいた。ハジチを突いた理由は、ハジチがない

と大和につれていかれると聞いていたから。
　また、嫁になった印として、完全形のハジチは嫁ぐ前に突いていた。そのほか、ハジチのない娘が亡くなった場合は、手の甲に墨でハジチ模様を描いてから野辺送りをした。その理由は、後生に行ってしかられるからというものであった。
　ハジチャー（針突師）は謝苅の婦人で60代くらいであったと思う。

●ハジチ事例③（1894年生まれ）
　子どものころに2回ほど突いた。大人が突いているのを見てうらやましく思い、いたずらでハジチャーアンマーに突いてもらった。針を何本も束ね、小さなどんぶりに丸い墨をすっていた。完全形を突いている人たちは、痛さをまぎらわすために豆を妙って食べていた。
　突いた回数が多い人ほど、骨まで染みるといって自慢だった。昔の人はおしゃれで突いたのではないかと思う。また、ハジチを突いてない人は大和につれていかれるといっていた。

（名嘉真宜勝執筆、北谷町『上勢頭誌』
上巻より要約して紹介）

24

II 結婚の儀礼

▲明治初期の那覇の婚姻風俗図（婿入りの図）

1. モーアシビ

　かつて沖縄の農村には、仕事をすませた若い男女が野原に出て遊ぶ習俗があり、これをモーアシビ（毛遊び）といった。モーとは野原のことで、若者たちは集落のはずれの野原で落ち合い、夜遅くまで夢中になって遊んだ。若い男女はモーアシビを通して結婚相手をさがすのがふつうであった。親たちは本人同士の選択にまかせ、決して干渉するようなことはしなかった。

　読谷村の楚辺では、仕事を終えた若者たちが、友だちをさそいあいながらカニクモーにあつまった。夜も暮れはじめるころには、カニクモーのいたるところに16〜18歳の男女のグループがみられた。三線や太鼓を持ちより、歌をうたいカチャーシーを踊り、雑談をしながら夜ふけまで遊んだ。

　ところが、土族系の集落などでは、親が結婚相手を決めるため、娘のモーアシビへの参加を禁止したり、参加は認めても結婚相手は親が決めるということもあった。また、糸満や久高島の漁村でも結婚相手は親が選択したという。

　各地でさかんにおこなわれたモーアシビであったが、明治の末に学校教育が普及すると、風紀上問題があるということで警察や教育界から圧力がかかり、しだいにそのすがたを消していった。

●ヤガマヤー　かつて沖縄諸島でみられた娘宿のこと。同年輩の未婚の女性たちが夜ごとにあつまって、アシャギなどの離れで夜なべをした。そこへ若者たちがあそびにきて楽しく雑談し、それから誘いあってモーアシビへ出かけた。この習俗は地域によっては昭和初期までおこなわれていた。

　宮古にはトゥンガラヤーという娘宿、若者宿があった。トゥンガラは友だち、ヤーとは家のことである。トゥンガラヤーは男女別々にあり、男女とも16〜18歳ごろになると7〜8名の友だちを一組と

してしかるべき家の離れや裏座に寝泊まりする。

▲豪農の裏座（中村家住宅）

夕食をすませた男女はトゥンガラヤーに行き、女は糸をつむぎ、男は縄をなったり、もっこなどをつくったりした。しばらくすると、男たちは女たちのトゥンガラヤーに出かけ、そこで2時間ほど楽しく語らい、12時ごろ帰っていった。決して女子といっしょに寝泊まることはしなかった。そのようなことを毎晩くりかえしているうちに意中の人ができたのである。

娘宿は、夜なべの場所として発生し、それが男女の語らいの場となり、のちには仕事よりも雑談が中心となっていったものと思われる。八重山にはブナビヤーとよばれる娘宿があった。

●夜ばい　沖縄本島の農村ではミヤラビサグイといった。娘宿のない集落では、未婚の女たちは親とは別に裏座や台所、離れなどで寝た。夜中、男たちはこっそりとしのびこむのであるが、それはおおかた昼間のうちで約束をしていた。夜ばいの本来の姿は、当人同士の呼び合いであった。

2. 婚姻

●婚約祝い　婚約が成立すると、サキムイ（酒盛）という婚約祝いをする。婚約祝いを意味する方言には、サキムイのほか、一合ムイ、二合ムイ、ウブクイなどがあり、宮古ではパツザキムイ、八重山ではフコーラサなどという。サキムイには男方から女方の家へ酒やそうめんなどを持参して祝った。嫁入婚の地域では、サキムイがすん

27

でもニービチ（結婚式）をしなければ夫婦生活は開始されないが、古い習俗の通い婚（妻問婚）では、結婚の申し込みをした日から花婿は妻の家で宿泊した。

●通い婚　農民層に分布していた通い婚（妻問婚）にはつぎのような特色がみられた。通い婚とは、夫が毎晩妻の家をおとずれる婚姻形態である。

①婚約が成立すると夫婦として認められ、花婿は花嫁の家に宿泊することがゆるされた。

②婚約成立後、二人の婚約を披露する門中ビラチという儀式がおこなわれ、二人は公的に夫婦とみなされた。

③数か月から数年にわたる通い婚の期間がある。

④子どもができると、夫は妻を自分のところへ迎え入れる。

このような婚姻形式は、各地の農民層に広くおこなわれたもので、にぎやかな祝宴はみられなかった。

●嫁入婚　士族層にみられる婚姻形式で、にぎやかな嫁入り行列や披露宴があり、婚姻儀礼はつぎのように構成されていた。

①内諾をえて婚約祝いがある。これを首里ではニフェー、那覇ではウブクイという。

②ニービチ（結婚式）は、婿入り・嫁入り・水盛の順でおこなわれた。水盛とは、花嫁・花婿の額に水をつけることで、一つのお膳に二人で箸をつける儀礼をともなった。

③花嫁は披露宴の夜か、もしくは一両日中に里帰りをし、再び嫁入りをした。または花嫁の里方からの見舞いがあった。

この士族層の婚姻儀礼が農村にもひろがると、農村のニービチは複雑化していった。

●馬手間　沖縄本島にみられた婚姻習俗の一つで、他の集落から嫁をもらった男側に金品や酒、米などを嫁側の若者頭に納めさせた。

これがないと嫁側の集落ではひどい婿いじめをした。集落内の結婚がたてまえであったころ、納税は集落単位であったので、他の集落へ嫁ぐことは労働力が減ることになり、その代償として馬手間とよばれる罰金（ばっきん）をとったのである。この習俗は地割（じわり）制度のあった沖縄本島で発達し、人頭税（にんとうぜい）のしかれた宮古（みやこ）・八重山（やえやま）にはなかった。

●婿入り（むこいり）　結婚式当日の朝、花婿が花嫁の家に供（とも）をつれて挨拶（あいさつ）に行くこと。ところが、花嫁の家に近づくと、嫁方の若者たちが花婿を杵（きね）でつくった木馬にのせて引きずりまわした。花嫁の家では、この婿いじめがすんでから花婿を接待（せったい）したのである。また、花婿は嫁方のかまどで火の神（ヒヌカン）を拝（おが）むが、そこでも顔に鍋墨（なべずみ）をつけられたり、松の葉の煙をもうもうと立てての婿いじめがあった。

　八重山の川平（かびら）では、花婿がおじにつきそわれて花嫁の家に行く。花嫁の家に着くと、花婿はさっそく仏壇（ぶつだん）に手を合わせる。つぎに一番座においてごちそうが出される。花婿には会式膳（かいしきぜん）が出されるが、これにはいろいろないたずらがある。とうがらしをたっぷり入れたり、生きたままのカニを入れておいたりする。また、箸（はし）もススキの花の茎で代用させる。つぎに花婿は火の神を拝むが、ここでも花嫁の女友達による婿いじめがあり、これをムクブザバザイとよんでいる。ムクブザバザイではつぎのようなことがおこなわれた。①火の神の前に丸太がしかれ、花婿はその上で正座して拝む。②かまどでは青松葉をくすぶらせる。③線香やマッチを水にぬらし、香炉（こうろ）は芭蕉（ばしょう）の芯（しん）で代用する。④火の神への拝みがすむと、アヨー（八重山の祭式歌謡）をうたわせる。⑤ワラでつくった馬に花婿をのせて御嶽（ウタキ）などをつれまわる。最後に花婿を家まで送って婿入りの儀礼は終了した。

●嫁入り（よめいり）　夜になると婿方からの嫁迎えがくる。嫁入りは夜おそく潮時（しおどき）を見ておこなわれた。那覇の士族の嫁入り行列は、つぎのような順序になっていた。

▲婚姻風俗図　明治初期の那覇士族の嫁入り行列

①少年の提灯持ち　　　　　②婿方のミサレーパーパー

③婿方・嫁方のニービチンチュ　④ユミゾーイ（花嫁の付添い）

⑤ミーユミ（花嫁）　　　　⑥嫁入り道具持ち

⑦チリニンジュ（花嫁の友人）⑧警備の男

　嫁入り行列のとき、那覇の花嫁は黒朝を頭からすっぽりとかぶった。また、一行が婿方の家に着いても、花嫁とその友だちは水盛の儀礼まで裏座敷で待機していた。花婿の方は、披露のために借りた隣家の座敷におり、友だちとにぎやかな祝宴を開いていた。そして花嫁到着の合図があると、花婿は友人らに連れられて夫婦固めの式にのぞんだ。

　八重山の川平では、午後10時ごろ花嫁を迎えに行く。花嫁の準備が完了すると、花嫁の仲人が裏座より仏壇の前につれてくる。両親との別れのことばがあり、母親は「今日までは親元で暮らしたが、これからは弓の矢と思い、骨が粉になるまでも夫に従いなさい」と訓示を与える。これがすむと、嫁入り行列が20数名によっておこなわれた。花婿の家に到着すると、花婿の母親が花嫁の手をとって座敷にあげ仏壇を拝ませる。その後、花嫁は女友達と裏座に行く。裏座にはごちそうが運ばれ花嫁は友達とともにここで一夜を過ごす。

一番座では酒宴があるが、このとき三線はひかない。

●夫婦固め　昔は首里や那覇以外では、夫婦固めの作法儀礼をしないのがふつうであった。通い婚のもとでは、婿入りのときに婿と嫁の両親との間で盃のやりとりがおこなわれただけで、夫婦固めの儀礼はなかった。

　夫婦固めの儀礼は首里や那覇でおこなわれたが、盃のやりとりではなくて、二人の額に水をつけるというものであった。また、花嫁と花婿が一つのお膳を二人で食べるという儀礼、花嫁がかぶってきた黒朝に二人が片方ずつ袖を通すという儀礼をともなっていた。

●花嫁の逃げる風習　通い婚のもとでは、婚約祝いのサキムイ（酒盛）や一合ムイをすますと、その夜から花婿は花嫁の家に通って新婚生活にはいった。また、嫁入り婚では、ニービチ（結婚式）をすますと夫婦同居となる。ところが、糸満や久高島は、嫁入り婚でありながらすぐには夫婦同居生活にはいらず、花嫁は里方に宿泊したり、あるいは花婿から逃げまわったりした。

　糸満と久高島はともに漁村であり、男たちは出漁で留守がちな生活が多く、妻たちに貞操堅固を求める気風が強いところである。糸満では式をすますと花嫁は実家に帰る。そして翌日から花嫁は夫方のしごとを手伝うが、夜になると実家へ帰る。決してすぐには同棲生活をせず、数か月間このような生活をつづけたという。夫婦別居の期間が長ければ長いほど、貞操堅固な嫁として認められたのである。久高島では夫婦固めの儀礼がすむと、その晩から花嫁はすがたをくらました。そして昼も夜も花婿に見つからないように、友だちの家を転々として逃げまわった。明治のころまで、その期間は2週間ほどであったという。やはり、長く逃げのびた方が村人の信頼を高めたので、花婿につかまりそうになると男子禁制の御嶽に身をかくしたりした。

カクレヤー 宮古のめずらしい婚姻習俗のひとつにカクレヤーというのがあった。狩俣や伊良部島の国仲などにみられた習俗で、花嫁を結婚式の一週間前から親戚の家にかくまったのである。

この習俗の地域では、結婚の相手を決める選択権はもっぱら親側にあり、男側の親が女の親へ申し込む形がふつうであった。婚約や結婚の日取りも双方の親同士で決め、当人たちに了解を求めるようなことはしなかった。

親同士による話し合いで結婚が決まると、男側の親は折をみて息子にその旨を告げた。娘には式の間近までいっさい秘密にされている。若者は酒をもって娘の家を訪問し、娘の父親と酒をくみかわす。そこで娘の方も気づくようになるが、まだ何も知らされていない。

結婚式の一週間ほどまえになると、娘は母親から親戚のもとへ使いをたのまれる。娘がやってくると、親戚の者は結婚話を持ち出し、娘はそこが自分の結婚のためのカクレヤーであることを知る。急な話に娘がシクシク泣き出すと、まえもってその家に待機していた娘のトンガラ（友だち）たちも引かれて泣いた。

カクレヤーが決まると、一週間の間、娘のトンガラたちが毎日来て、娘のブー（麻糸）を紡いでくれた。娘はこの糸で機を織り、自分の夫になる人のために晴着や仕事着などを仕立てた。

ところで、宮古では結婚のことをササギというが、カクレヤーから花嫁が婿の家に行くことをネビキという。これは沖縄本島でいう結婚式のニービチと同じ意味のことばである。なお、八重山では結婚のことをアイナサーリヨイといっている。

ミームクジュリ むかし那覇には変わった風習があった。夫婦固めの儀礼がすむと、花婿は親しい友人をつれて遊廓へ行き、その夜から二晩、遊女（ジュリ）と枕を並べた。ミームクジュリとは花婿の相手をつとめる遊女のことで、ニービチジュリともよばれた。花嫁の方は、式がすむと裏座で友だちと泊まり、翌朝は実家へ帰っていった。そして3日目の晩から夫方の家で寝ることになっていた。このように那覇では、式後3日目の晩から花嫁と花婿の夫婦生活がはじまったのである。

Ⅲ　生年祝いと厄年

▲盛大なカジマヤー祝い（平安座島）

1. トゥシビーとはなにか

　沖縄ではトゥシビー（生年祝い）ということばをよく使う。これは毎年おこなわれる誕生日とはちがい、数え年の13歳・25歳・37歳・49歳・61歳・73歳・85歳・97歳と12年ごとにおこなわれるもので、十干十二支思想からきている。トゥシビーのことを沖縄本島では生年祝いともいい、宮古ではトゥスビ、八重山では生年祝いとよぶ。

　昔の人々はこの生まれ年を厄年と考え、家の守護神である火の神や祖先の霊に厄払いの祈願をした。また、たくさんの人に来てもらい、にぎやかな祝宴を開いたりした。祝宴を開くのは、厄神が逃げていくと考えたからである。このような厄払いの風習は、かつて沖縄本島や周辺離島で広くおこなわれていた。しかし今日ではトゥシビーを厄年とする考え方はうすれ、61歳以上の長寿の祝いとする風習が一般化している。

　トゥシビーは、旧暦の正月に、子年の人は子年の日をえらんでおこなうが、97歳のカジマヤーは一般に9月7日におこなわれる。このほかに88歳のトーカチという長寿の祝いもあるが、沖縄には77歳の喜寿、99歳の白寿を祝う風習はなかった。

●**語源**　トゥシビーのことを一般に漢字で「年日」と当て字をするが、これはかな書き表記がよい。トゥシビーは年忌の転訛したものと思われ、転訛の過程はトシイミのイが脱落してトシミとなり、さらにミがビに変わってトシビになったと考えられる。広辞苑に年忌は厄年のこととあるが、これは沖縄の民俗とぴったり一致している。十二年ごしにやってくるトゥシビーを沖縄の人々は厄年と考えてきた。トゥシビーの翌年はハリヤク（晴れ厄）として祝う。

●**厄払いの祈願**　トゥシビーの厄払いは専門の人にたのむということはなく、その家の祖母や主婦が火の神と仏壇に祈願をした。唱えることばも特定のものがあるわけでなく、ただ、「○○が今年は厄

年に当たっているので、何のわざわいもないように、よいことがあるように守ってあげてください」と唱えた。

●厄年について　本土で厄年といえば男の42歳、女の33歳というところが圧倒的に多い。42は語呂がシニ（死）に通じ、33はサンザンな目にあうの散々に通じるといって忌みきらわれた。かつては厄からのがれるため、男女ともお正月を2回したり、自分とおなじ歳の数だけの餅をつくって人にくばったり、道にすてたりする風習が各地にのこっていた。

　この厄年思想は、十二支にもとづく沖縄のトゥシビーとは異なった系統のもので、語呂あわせからきた厄年観念である。沖縄に本土の考え方が流入しなかったのは、おそらく十二支にもとづく厄年思想が強固な伝統をもっていたからであろう。

●十三祝い　このトゥシビーは、生まれてはじめて厄年をむかえるというのが本来のすがたであった。ところが時代が新しくなると厄年の観念がうすくなって、13歳のトゥシビーは男女とも成年になる儀礼のような考え方に変化している。とくに女子の場合は男子のそれにくらべて一段とにぎやかにおこなう風習が生まれた。それはつぎの25歳のトゥシビーのときは、もう結婚して親元にはいない、親元で祝うのはこれが最後だという考え方に変わって、厄の思想とは縁遠い考え方になっている。

　ところで、25歳と37歳のトゥシビーは願立をする程度で、客を招待するようなことはしなかった。

●ククヌトゥグンジュウ　49歳のトゥシビーをククヌトゥグンジュウといい、広く49歳のよび名としても使われている。生まれ年のよび名としては特殊であるがその語源については不明。古くから生まれ年は厄年であるとされてきたが、とくに49歳はシク（死苦）とも重なり危険な厄年と考えられていた。そこで49歳になると、大きな

厄がはいったといって、熱心な厄払いの祈願がなされ、またにぎやかな宴を開いて厄払いをした。今日では厄年とする観念はうすれ、トゥシビー祝いをする家庭も少なくなった。

2. トーカチ祝い

　トーカチ祝いとは、旧暦8月8日におこなわれる数え年で88歳の祝い。88歳の祝いは沖縄だけでなく全国的なもので、本土では米寿の祝いというが、これは米の字を分解すると「八十八」になるからである。トーカチ祝いは、これまで述べてきた厄年とは別もので、はじめから長寿祝いとして設けられた外来の年祝いである。

　トーカチということばは、祝い客に「斗かき」の形をした竹筒をみやげにくばることから出たといわれる。斗かきとは升にもった穀物を平らにするための道具で、沖縄では竹でつくり、その一端を斜めに切ったものを使った。

　88歳を祝う風習は九州からまず首里・那覇の上流階級に伝わり、それが地方に広がったものと思われる。熊本や鹿児島では、男の88歳を祝うときは「斗かき祝い」とよび、女の場合は「糸よい祝い」といった。そして男の祝いでは祝賀客に斗かきをくばり、女の祝いでは絹糸を巻いたものをくばったという。沖縄では、斗かきだけを来客へのみやげにくばっているが、もともとは鹿児島のようにみやげものにも区別があったといわれている。

　なお、かつて沖縄では

▲トーカチ祝い　米の器に竹の斗かきをさす

トーカチの前の晩、本人が寝てから模擬葬式をおこなう風習があったという。この風習はつぎの集落から報告されている。中城村の津波と和宇慶、北谷町の平安山・桑江・棚原、旧与那城町の伊計と饒辺、旧東風平町の屋宜原と当銘、那覇市国場、本部町備瀬、また集落名は不明ながら宜野湾市と今帰仁村からも報告がある。

3. カジマヤー祝い

　旧暦９月７日におこなわれる数え年97歳の長寿祝いである。カジマヤーとは風車の沖縄方言である。この歳になると人はだれでも童心にかえるといわれ、風車を飾り盛大に祝う。首里や那覇では、祝賀客に山桃の漬け物と豆腐をうすく切って焼いた六十といわれるものを二枚出した。琉歌に「六十重びりば百二十の御年、ももとまでちよわれ御願しゃびら」とあるので、それにちなんで縁起をかつぎ桃とルクジューを２枚出すのだという。桃は百、ルクジュー２枚は百二十という長寿に通じる。ところで、カジマヤーにもかつては模擬葬式があった枕飯御願をする風習は那覇にも宮古にものこっていたので、昔は各地でおこなわれていたと考えられる。現在は街頭パレードなどをくりだして盛大に祝っている。

▲カジマヤー　集落を挙げての祝い

▲カジマヤー　風車を飾って盛大に祝う

ソーニン　トゥシビーのことを
ソーニンとかショーニンとよぶ人
がいる。これは首里・那覇の知
識人たちのあいだで使われたこと
ばで、生年（しょうねん）という
漢字がなまったものである。しか
し、沖縄固有のことばはトゥシ
ビーで、古くはやはり都市でも
トゥシビーということばを用いた。

マドゥトゥシビー　首里・那覇
には生まれ年のトゥシビーを祝う
ほかに、マドゥトゥシビーという
行事がある。これは生まれ年に当
たらない人々が、正月中に自分の
生まれ年の干支に当たる日に健康
祈願と内輪の小宴を開くという風
習であった。

料理　『首里の民俗』の中に、
88歳の祝いにルクジューという
豆腐を二切れ出したという報告が
あるが、それ以外にトゥシビー
祝いに限って出る料理というもの
はなかった。婚礼とおなじように
家柄や経済力によって差があっ
ただけである。最高の接待料理
を「五段の御取り持ち」といい、
本膳のほかに5つの皿料理が出
た。中級の接待料理は「三段の御
取り持ち」といい、本膳のほかに
3つの皿料理が出た。このほかに
「二段の御取り持ち」というのが

あり、これは簡単な接待料理で
あった。

伊平屋島の厄年　首里の鳥堀
に「トゥシビーの厄は翌年の7月に
晴れる」という伝承があるが、こ
れに似たのが伊平屋島にもあった。
『伊平屋の列島文化誌』のなかに
「来年の厄年の人は今年の8月の
柴差祭りの日からその厄の日が
はじまり翌年の同祭の日からその
厄が晴れる」という報告がある。
また、首里で、家長が厄年に当たっ
た年には家の新築はするなという
話があるが、伊平屋島では厄年に
当たったものがあれば、その祭り
の日から向こう一年間、嫁入り、
婿取り、家や墓の建造および移転、
旅人の宿泊をことわったという。

北部のカジマヤー　国頭村比
地では、カジマヤーは先祖が後
生に引きとるのを忘れてしまっ
ているとして模擬葬式をやり、
当人を墓へ連れていった。また、
村人がこの行列に出会うことは
禁忌とされていた。名護では、
死装束をさせて、7つの橋、
または7つのカジマヤー（十字路）
を通過したという。カジマヤーは
祝賀の行事ではなかったが、現在
は集落をあげての盛大な長寿祝い
となっている。

IV　葬送と供養の儀礼

▲洗骨後の骨をおさめる厨子甕

1. 死の予兆

　沖縄には死は前もって知ることができるという観念がある。この予兆のことをムヌシラシ（物知らせ）とかメーシラシ（前知らせ）とよび、「動物によるもの」「夢によるもの」「現象によるもの」の3つに分けることができる。

①動物によるムヌシラシ

・ユーガラサー（夜烏）が人家の上を一声だけ鳴いて飛んで行くと厄。
・ガラサー（烏）が西へ鳴いて行くと厄。
・夜、フクロウが屋敷内の木の上で鳴くと厄。
・クカル（琉球赤ショウビン）が屋敷に飛びこんで来たら厄。
・チジュイ（浜千鳥）が人家の上で鳴くと厄。
・ユムドゥイ（野鳥）が屋内、または仏壇にとまると厄。
・犬がタチナチ（遠吠え）するとその近くから死人が出る。
・猫がオーナチすると厄。
・逃馬が屋敷内に入って来たら厄。
・ミードゥイ（雌鳥）が鳴くと厄。
・バッタが仏壇で鳴くと厄。
・イミジラン（忌虱）が異常発生したら厄。
・蜂が仏壇や墓に巣をつくると厄。
・ビーチャー（じゃこうねずみ）が座敷に上がると厄。
・ナガムン（ハブ）が屋内に入ると厄。

②夢によるムヌシラシ

　歯のぬける夢がどの地域でもいちばんきらわれている。葬式を連想させる夢や、あまり楽しい夢も逆にいやがられる。また、宴会の夢、肉や餅などのごちそうを食べる夢、牛・馬・豚などの夢も不吉とされている。

・歯のぬける夢はチーヒチ（血族<ruby>血族<rt>けつぞく</rt></ruby>）から死者がでる。

・アカンマー（赤馬＝<ruby>龜<rt>がん</rt></ruby>）が走る夢は厄。

・シシ（肉）やムチ（餅）を食べる夢は厄。

・フチバンタ（崖）に落ちる夢は厄。

・船にのる夢は厄。

③現象によるムヌシラシ

　現象にもいろいろあるが、なかでもヒーダマ（火の玉）があがると近いうちに死人が出るとおそれられている。また、ツメに白い<ruby>斑点<rt>はんてん</rt></ruby>ができることや、<ruby>夜半<rt>やはん</rt></ruby>に板を投げおろす物音などが1回だけ聞こえると、死者が出る<ruby>予兆<rt>い</rt></ruby>として忌みきらわれる。

・タマガイ（火の玉）があがると厄。

・夜中に板を投げつける大きな物音があると厄。

・夜中にニンブチガニ（<ruby>念仏鉦<rt>ねんぶつがね</rt></ruby>）の音が聞こえると厄。

・ダビジュネー（<ruby>葬列<rt>そうれつ</rt></ruby>）の「ワー」と泣く声が聞こえると厄。

・夜中に金づちや<ruby>鋸<rt>のこぎり</rt></ruby>の音が聞こえると厄。

・ヌヌバタ（はたおり機）の下に寝ると死ぬ。

2. <ruby>臨<rt>りん</rt></ruby> <ruby>終<rt>じゅう</rt></ruby>

● 死のよび名　死の表現にはいろいろな忌みことばが用いられる。幼児や老人、それに旅先などで死んだ場合にもそれぞれのことばがある。各地の死の<ruby>呼称<rt>こしょう</rt></ruby>を類型化すると、だいたいつぎのような語に分けられる。

○マーチャン系…………回った・回転したの意味と思われる

○ミーウティ系…………目を<ruby>閉<rt>と</rt></ruby>じられた

○シジャン系……………死んだ

○ウシジリン系…………押し切られた

○デージナタン系………たいへんになった

○ナーナタン系…………もうできあがった

○ウーランナタン系………いなくなった

○グソーカインジャン系…後生（ごしょう）に行った

○ヒャクサチキミソーチャン系…百歳になられた

○ユーシリタン系…………世を脱皮（だっぴ）した

○ムルタン系………………もどった

○ヒンギタン系……………逃げた（幼児が死亡したとき）

○マキタン系………………負けた（病死したとき）

○カンナリオーリ系………神になられた（宮古・八重山（みやこ・やえやま））

○スノーリィ系……………意味不明（石垣市川平（いしがき・かびら））

○トータビ系………………唐旅（とうたび）

○スーカーワタイ系………塩川渡り（島外で亡くなったとき）

臨終（りんじゅう）をあらわすことばでいちばん広く使われるのがマーチャン系で、「回転した」という意味である。また、トータビ系の「唐旅」とは、琉球王府（りゅうきゅうおうふ）時代に進貢（しんこう）貿易で唐（とう）（中国）と往来（おうらい）したことをいう。当時、海外への旅は死の危険をともなっていたため、転じて死を意味することばとなった。スーカーワタイ系は、海外で亡（な）くなったときに使われることばである。

▲童墓（ワラビばか）　幼児の墓

▲王朝時代に活躍した進貢船（復元）

42

●臨終に立ちあう人　最大の不幸ごとの一つに親の死に目に会えないことがあげられる。少なくとも肉親の者は臨終に立ちあって、無事極楽往生をとげるようにそばで見まもってやるのが義務とされている。

　臨終の場には、兄弟や近親がよび集められ、そのまわりで静かに見まもっている。そしてまさに息を引きとらんとするとき、いちばん近い人（夫が危篤であれば妻）が抱き起こして、童名を大声でよびつづけ、号泣しながらミーウトゥイ（臨終）させる。まぶたを閉じ、手を胸元に組ませ膝頭をまげてやる。いあわせる人々も積極的に死者の顔をのぞき、童名やあだ名をよびつづけて号泣する。死体に直接手をふれることは、死者に対して最後の孝行をつくすという観念からくる。

　ところで、つぎのような場合には、家族や身内であっても臨終に立ちあってはいけないとされている。

　　○妊婦および夫　　　　　　○その日が生まれ年である。
　　○死者と同じ干支である。　○病気である。
　　○傷やおできがある。　　　○新築中である。
　　○家畜のお産がある。　　　○神司である。
　そのほか、家族や近親以外の人々は参加してはならないとする地域が多い。

●死の確認　今日では医師の診断にゆだねられるが、かつては地域における死の確認方法があった。

　臨終の席には身内の者がよび集められるので、そのなかの指導的立場の人が、脈をとったり、口に水や酒をそそいだり、お灸をすえたりして何の反応もないのを確認してから臨終をつげた。

　国頭村与那では、脈をとり、口に手をあてて息がないことや、鼻溝・指先にお灸をすえて死の確認をした。

43

●死の通知　死の通知については、病死か事故死かによっても違い
が出てくる。長いあいだ病気をわずらっていた場合は、人々の急な
出入りでも察知（さっち）できるが、急死の場合は一定のルートを通さなけれ
ばわからない。死者が出ると、家族や親戚のものが公民館に連絡し、
そこからマイクや鐘（かね）、太鼓（たいこ）などを使って知らせているが、戦前はホ
ラ貝などを鳴らしていた。

　那覇（なは）では、湯灌（ゆかん）をすませてから近親（きんしん）のものが一人で隣近所（となり）へ連
絡する。すると、そこの主婦が集落内への連絡を担当した。いっぽ
う喪家（そうか）では、早朝からニンブチャー（念仏者）をたのんで念仏鉦（ニンブチガニ）を
たたかせたので、鉦（かね）の音で死者が出たことが知れわたった。

3. 湯灌（ゆかん）

　湯灌をあらわすことばには、アミチュージ（浴み清め）、ミジア
ミシ（水浴びせ）、ユーアミ（湯浴み）などがある。かつて湯灌に
使用する水は産井（ウブガー）から汲んでいた。しかし、水に対する信仰心のう
すらいだ今日では、自家の井戸（いど）水や水道水を利用する人々がふえて
きた。

　北谷町（ちゃたん）上勢頭（かみせいど）では、戦前までウキンジュガーの水を用いていた。
ウキンジュガーは集落の重要な井戸で、正月の若水（ワカミジ）、出産の産水（ウブミジ）も
この井戸から汲んでいた。湯灌の水を汲むのは女性の役目で、途中
もう一人の女性がこれを出迎え、交替（こうたい）して運んできた。このこと
から日常の水汲みは、途中で出迎えて交替するものではないという。

　湯灌の水は逆水（サカミジ）にするところが多い。逆水は水に湯を注（そそ）いでつく
るため、日常このような方法は忌みきらわれ、湯に水をくわえてぬ
るくする。また、糸満（いとまん）では平常の窯（かま）で湯をわかさず、石を３個をひ
ろってきて臨時の窯（りんじ）をつくった。

　一般的に湯灌は、裏座（うらざ）や台所などで身内の婦人たちによっておこ

44

なわれるが、おなじ生まれ年の人や妊婦はこれにたずさわってはいけない。また、全身を洗うのがふつうだが、なかには拭くだけのところもある。

　竹床の時代、残り湯はそのまま床下にこぼす地域が多かった。平良市狩俣では特別に日をきめて処理している。ところで、湯灌に使用した容器はただちに使うのをきらい、タライなどは1回で底をぶちぬくか、または2、3日放置して浄めたあとで使用した。

4．死装束

　湯灌がすむとヒゲをそり、髪を結い、そして盛装させる。これをグソースガイとかチュラスガイなどという。グソースガイには特別な晴れ着が用いられ、晴れ着はグソージン（後生衣）とかダビジンなどとよばれている。

●着物の枚数　グソージンは奇数にして着けさせる。下着は白の襦袢、地域によっては洗骨のときに骨が散らばらないように絹の白衣を着けさせる。中着は死者の愛用した晴れ着を数枚着けさせ、上着にはもっとも上等の晴れ着を用いる。

　また、グソースガイのいちばん上に着せたり覆ったりする白衣装もある。60歳以上の老人がいる家では、娘などが前もって白衣装を準備しておく地域もあるが、ふつうは死者が出て、親戚や家族の婦人が数名でひっぱりあって縫った。

●針をさす習俗　死装束のいちばん上に着ける白衣装の左襟に、糸を通した針を3本、または5本、7本と奇数をさす習俗がある。北谷町上勢頭では、白い糸を10cmほどつけた針を着物の襟に7本さす。読谷村比謝では、白衣装のすそに一つ糸で通した針7本を上にむけてさす。着物にさす針は、あの世で水と交換するためのものといわれている。

5．死者の位置

●頭の向き　グソースガイをすませた死者は、仏壇のある部屋に移され、頭をイリマックヮー（西枕）にして寝かせるのがふつうである。北枕や南枕にするところもあるが、東向きにする事例はいまのところ見出せない。西枕にする由来にはつぎのようなものがある。

　　○ある死者を西枕にして葬ったら生き返った。（沖縄市桃原）
　　○東からのぼる太陽を拝ませる。（石垣市白保）
　　○西は太陽の落ちる方向、人の命も同様である。（糸満市与座）
　　○東からのぼる太陽の光で生き返るのでは。（浦添市経塚）
　　○国王にあやかる、国王は西枕にして寝た。（石垣市宮良）

　また、旧知念村久原では、死者は戸口にむけて寝かせるが、そのいわれは、出ていったらもう帰ってくるものではないという意味に由来するという。

●死者の姿勢　一般的に死者を寝かせる部屋は仏間である。死者の姿勢は両足の膝を立て、両手を胸元に組ませ、まぶたを閉じさせ、顔は白い布でおおってやる。また、死者を寝かせるときにムシロを敷くが、そのときは裏返しにして敷くのが一般的である。

6．枕飯と供え物

●枕飯　死者の枕元に供える枕飯のよび名には、チチャーシウブン（重ね飯）、ムイウブン（盛飯）、タッチュウーメー（突飯）などいろいろなよび名がある。チチャーシウブンのよび名は、二つのお碗を用意し、両方ともご飯を切って入れ、一方を他方に重ねてつくることからきている。

　枕飯には、箸を垂直に立てたり、十字形に立てたりするところが多い。ふだん、ごはんの上にお箸を突き立てるのをきらうのはそのためである。箸も古くは竹やススキ、粟などを利用してつくった

46

青箸であったと思われる。

　枕飯の処分として、最近ではすてたり豚のえさにするところがふえてきた。しかし、かつては墓に埋める、棺（かん）に入れる、龕（がん）をかついだ人が食べるなど、地域によっていろいろな方法があった。

●供え物　死者の枕元には食台などを利用して、いろいろな供え物が飾（かざ）られる。那覇では枕飯のほか、豚肉・だんご・味噌（みそ）と塩（しお）・たまご・豆腐（とうふ）の汁・豆腐と昆布（こんぶ）の煮しめ・おかず・お茶湯（ウチャトウ）・水・ご飯・白饅頭（まんじゅう）・果物（くだもの）などを供えている。

●副葬品（ふくそうひん）　死は後生（ごしょう）の世界への旅立ちと考えられている。そこには現世とおなじような世界があり、以前に亡くなった祖先と容易（ようい）に面会ができ、かつ農業などもおこなわれていると考えられている。このことは入棺のとき、さまざまな日用品を副葬する習俗が示している。

　副葬品は、一般にグソーヌナーギムン（後生のみやげ物）とか、アチデームン（あつらえ物）などとよばれる。グソーヌナーギムンとは、家族や身内（みうち）が死者にもたせる品である。いっぽうアチデームンは、以前に亡くなった親類（しんるい）の祖先へのみやげ品である。副葬品の種類は日用品が主となっていて、手ぬぐいやたばこなどがよく用いられる。

7．通夜（つや）

　通夜のよび方は、地域によって多少ことなるが、一般にユートゥジ（夜伽）（よとぎ）とかユーグムイ（夜籠り）（よごもり）などとよばれている。この習俗は一定してなく、朝亡くなってその日に葬式（そうしき）ができる場合は、通夜はしないで墓に送っている。したがって通夜をおこなう理由としては、「夕方に死んでその日のうちに葬式ができない」「親戚（しんせき）が遠方に散らばっている」「友引き（ともび）」などがあげられる。

●通夜に参加する人　通夜には家族をはじめ、親戚・知人・隣近所の人々が参加する。久高島では一種のユイみたいなもので、自分たちが亡くなったときだれも来てくれないとこまるから参加するという。また、妊婦

▲蚊帳をつる風習（読谷村儀間）

は臨終のところでも述べたように参加してはいけない。

●蚊帳（幕）　通夜には、蚊帳（幕）をつって死体をかばう風習がある。蚊帳をつるのは、「猫が死体の上をとびこえると腐敗しなくなり、洗骨ができなくなる」「外部からの顔かくし」というのが一般的にいわれている理由である。蚊帳をつり遺体の安置された仏間では、女たちが遺体をとりかこんですわり、男たちはとなりの一番座で陣取っている。

　蚊帳はふつう公民館などに保管されている。死者が出るとそこから借用するが、有力な家では個人で所有している場合もある。伊平屋村野甫島では、亡くなった家が保管しておき、つぎの死者が出るとそこから借りるが、そのときは正門から出さず裏門から出すようにしている。

8. 喪家への援助

●葬式組　相互扶助の精神が発達している沖縄では、集落の隣組が葬式組として喪家のいっさいのめんどうをみる。男のしごとは、芋ほり、家畜の草刈り、墓の掃除、葬具づくり、女のしごとは炊事が主である。

葬式当日の指揮は、隣近所の指導的な古老が数名で担当した。主なしごとの内容はつぎのようなものであった。

- ○ 三世相(易者)の家に行く役
- ○ 僧侶をたのみに行く役
- ○ 念仏者の家に行く役
- ○ 厨子甕を買う役
- ○ 線香を買う役
- ○ 食事の世話と炊事
- ○ 芋ほりなどの畑しごと
- ○ 墓づくりと墓道の掃除
- ○ 葬具づくり
- ○ 葬式に必要な品物の買い出し
- ○ 葬式の会計
- ○ 甕かつぎ

三世相の家に行く役は隣近所の婦人があたり、葬式の時間や納棺時に立ちあってはいけない人、墓口を開ける人などの諸作法を習ってきた。また、士族と百姓では僧侶や念仏者をたのむ人数がことなり、士族はそれぞれ2名以上、百姓は一人ずつであった。

● **物質的援助**　喪家への援助には、前述の労力以外に物質的援助の方法もある。それは集落の各戸から、米・麦・粟・芋などを一定量もちよる風習である。現在では米などをもちよる風習はとだえてしまったが、物質的援助の精神が完全に忘れ去られたのではなく、金銭による香典料として新しい形で発達している。

旧与那城町上原では死者が出ると、以前はその班内の各戸と親戚から2〜3個のふかした芋を喪家にもちよった。これが昭和34年ごろからは米1〜3合に代わり、昭和38年ごろからは金銭へと変化していった。

9. 焼香

死者を盛装させ、仏壇の前に西枕に寝かせて枕飯などの準備がすむと、一般弔問客の焼香がある。女の遺族は死者の周囲にすわり、男の遺族は一番座などにひかえている。

女の弔問客は門前から泣きながらやってくる。そして死者の顔を

のぞくときも、悔やみのあいさつのときも泣きながらおこなった。女は泣くのが礼儀とされていたが、現在は大声で泣くような風景は見られなくなった。

　焼香はふつう1本ウコーと称して線香1本をともしている。今日の告別式では抹香が用意され、それを3回つまんで香炉に入れ、手をあわせて拝んでいる。

　八重山の告別式は一番座を式場にあてる。棺の両側には花が飾られ、棺の前に白位牌と香炉をそなえる。座敷には、遺族、親戚、特別の来賓がならぶ。献香礼拝は、僧侶読経礼拝、喪主、長男夫婦、次男夫婦、長女夫婦、孫、親戚、弔問客の順序でおこなう。

10. 入棺と出棺

　那覇ではすべての人の焼香がすむと死者を棺におさめる。入棺は遠方からの弔問客もあるので、急いでやるものではないという。死者を棺に入れるのは親戚の男5、6人でおこなう。入棺は足の方から先に入れ、膝を立てて交叉させ、手は胸元に組ませる。手ぬぐい・たばこ・お茶などの副葬品を入れてフタをすると、棺は庭に待たせてある龕におさめられる。

　ところで龕屋をあけるときは、鍵をあける人、祈願をする人、かつぐ人が参加し、祈願をしてからあけられた。龕は野辺送り直前に運ばれ、喪家の庭では、龕に酒をかける儀式が龕かつぎの人たちによっておこなわれた。

　出棺は一番座の東側から足の方を先にして出し、龕には頭から入れて足が後方になるようにする。出棺時の作法にもいろいろあり、竹富島では死者を送り出すと、家族の者がたいせつにしている陶器を軒下で割った。これはもとに返るなという死者へのたのみだといわれている。

11. 野辺送り（のべおく）

　一般に野辺送りのことをダビ（茶毘）とかウクイ（送り）といっている。野辺送りの時間は、夕方の干潮（かんちょう）時が理想的だが、その日の都合（つごう）で潮時（しおどき）がわるいときはその限りではない。

　野辺送りでは拝所（はいしょ）の近くの道をさける。いわゆる神道（カミミチ）を通らずに別の道を通る。また、行きの道と帰りの道を区別（くべつ）している地域も多い。野辺送りの途中、シマミシー（島見せ）という死者と集落の離別（べつ）の儀式をおこなう地域もある。

　首里桃原（しゅりとうばる）ではつぎのような序列（じょれつ）で野辺送りがおこなわれた。ただし、沖縄各地の野辺送りの序列は地域によってことなっていた。
　①提灯（ちょうちん）（４本・棒につるしている）
　②白旗（経文（きょうもん）が書かれている）
　③天蓋（ティンゲー）（龍頭（りゅうとう）をかたどったもの）
　④ヤジェーバク（葬具（そうぐ）をおさめる道具箱）
　⑤僧　侶（そうりょ）
　⑥白位牌持ち（しろいはい）と傘（かさ）をさす人
　⑦長男と両脇（りょうわき）をかかえる人
　⑧次男・三男と近親（きんしん）の男の順
　⑨龕（４人でかつぐ）と交替要員（こうたいよういん）６人
　⑩長男嫁・次男嫁・三男嫁とつづく
　⑪一般会葬人（かいそうにん）

白位牌持ちは長男の役割とする地域が多いが、首里桃原では隣（となり）近所の人にさせ、長男はそのあとから両脇をかかえられて参列する。龕は４人でかつぎ、交替要員が４～６人ついている。交替するときはかついだままでおこなうが、これは龕を地上におろすと、霊魂（れいこん）が落ちてしまうといういわれからである。龕の後には嫁や近親の女たちが一列になってつづく。女たちは頭から芭蕉（ばしょう）の着物をかぶる。

51

墓につくと龕を墓庭に
おろす。墓口をあけるの
は相性のあった人でな
ければならない。糸満市
与座では十二支が死者の
真反対にあたる人があけ
る。大宜味村喜如嘉では
十二支の2番上の人があ
ける。しかしこれらの人

▲一般的な龕のかつぎ方

が実際にあけるのではなく、墓口の前の雑草を3回むしりとるとか、
あるいは墓口を3回たたいて礼拝をおこなうなどの所作があり、そ
のあとで数名の人によってあけられる。

12. 穢れ祓い

　葬式を終えた夕方、喪家では「魔物追い」の儀式がある。これを
ムヌウーイとか、ヤーザレー、ボーミチャーなどといっている。こ
の慣行は全島的なものであるが、各地でいくらかずつその伝承に
は違いがみられる。

　死者が出ると門前に竿を横たえたり、木灰を敷いたり、網やしめ
縄を張るところがある。石垣市宮良では、葬式道に面した家に重病
人がいると、野辺送りがすむまでその人の足を家の中柱にくくりつ
けておいた。葬式道とは、野辺送りに通る一定の決まった道のこと
をいう。多良間島や石垣市川平では、葬列が通ると子どもたちが龕
にむかって魔よけのフー（ススキのサン）を投げつける。かつて葬
式の帰りには、海へ降りて潮水で穢れをはらうこともあったが、現
在は塩でそれをおこなっている。

　旧与那城町宮城では、喪家での火の使用を忌み、別の場所で枕

52

▲火の神　カマドにまつられる守護神

飯や葬儀用の料理を煮炊きする。そのほか火の穢れを忌む慣行として、死者が出るとその家の火の神である3個の石をすて、新たにひろってきてつくりかえる風習がある。

　農作物や家畜にも穢れがおよぶと考え、臨終のとき屋内の種物は外に運び出すか、しめ縄を巻きつける。牛馬の場合は急いで買い替え、これをチナゲーイ（綱替え）といっている。

13. 死霊から祖先神へ

●ナーチャミー　葬式の翌日、朝早くからお茶湯・花・水・お重などをもって墓参りをする。これをナーチャミー（翌日見舞い）とか、ミジマチー（水祭り）などといっている。かつては夜が明けると同時におこなったが、最近では朝の9時か10時ごろと、夕方の4時か5時ごろの2回おこなうという地域が多い。家族や親戚などごく身内の人々が参加し、「ゴクラクシミソーリヨー（極楽往生してください）」と唱えて手をあわせる。

　一般にナーチャミーは、死者が蘇生してないかどうかを確かめるためにおこなわれたという。火葬のない時代は、死者が生き返るということもあったようで、それが伝説となって今日まで語り伝えられている。

●ナンカ祭　死後7日ごとの焼香儀礼がナンカ祭（7日祭）である。四十九日までに7回のナンカがおこなわれ、それぞれつぎのようによばれている。

①ハチナンカ（7日目）　　②タナンカ（14日目）

③ミナンカ（21日目）　　④ユナンカ（28日目）

⑤イチナンカ（35日目）　⑥ムナンカ（42日目）

⑦シンジュウクニチ／シチナンカ（49日目）

このなかでも、とくにハチナンカ・イチナンカ・シンジュウクニチはソージンとよばれる料理が飾られ盛大である。また、ハチナンカとシンジュウクニチはとくに大事な儀礼で参加者も多い。

ナンカの日は、仏壇にいろいろな供え物がなされ、午後から一般客の焼香がおこなわれる。また、朝の10時ごろ、家族や親戚による墓参りもある。

シンジュウクニチでナンカ祭は終わり、墓前に備えてあった白位牌などを焼却する。墓参りは午後1時ごろ、焼香は午後4時ごろからおこなわれる。この日、49個の白餅を特別につくるが、そのなかの1個はチブルムチ（頭餅）といって大きくつくる。四十九というのは人間の骨の数だといわれている。

●マブイワカシ　死者の霊魂は死後四十九日までは冥界に行かず、墓と家のあいだをさまよっているという。このような霊魂を冥界へ送るための供養の儀礼がマブイワカシ（魂分かし）で、死霊と生きている人の別れの儀式である。

マブイワカシは専業的なユタ（巫女）の手で進められるが、地域によっては心得のある親戚がおこなうところもある。

●年忌供養　年忌とは、死後何年目の死亡月日にあたるかを示す年数で、死者供養のための法事がおこなわれる。一般に一年忌・三年忌・七年忌・十三年忌・二十五年忌・三十三年忌の6回おこなわれるが、ところによっては百日目・二年忌・五年忌がおこなわれる地域もある。

十三年忌まではワカシューコー（若焼香）とよばれ、まだ死霊が

神化しておらず忌みつつしむべき焼香であるが、二十五年忌・三十三年忌はウフジュウコー（大焼香）とよばれ祝事にかわる。また三十三年忌は別名ウワイジューコー（終わり焼香）ともよばれ、この最後の供養がすむと祖霊は神になると信じられている。

▲洗骨のようす（座間味村座間味）

● 洗骨儀礼　死後１〜７年のあいだに洗骨儀礼がおこなわれる。洗骨することをシンクチとか、チュラクナスン（美しくする）、カルクナスン（軽くする）、ハルジューコー（墓焼香）などという。洗骨は本土にはなく、沖縄と奄美に見られる風習であったが、戦後沖縄本島では火葬が普及すると洗骨は見られなくなった。しかし、周辺離島では依然としておこなわれている。

　沖縄本島では、一般的に３〜７年目の七夕に洗骨するが、久高島では12年ごとにおこなわれている。また、門中墓の発達した地域ではつぎの死者が出ると３年目でなくても洗骨する場合があった。

　洗骨儀礼への参加者は親戚に限られるが、実際に遺骨を洗い浄めるのは肉親の女たちで、男たちはそばで見守っている。洗い終わった遺骨は厨子甕におさめて墓の奥深く安置するが、門中墓では墓内が狭くなるため、そのままばらで合葬するところも少なくない。

14.　特殊葬法

● 幼児葬法　年齢には４歳から13歳までと幅があるが、もっとも多いのが６歳までである。また、幼児葬法と一般葬法には相違点があ

55

り、幼児葬法の場合はつぎのような方法でおこなわれる。

①龕にのせず、母親や父親が抱いて野辺送りをする。

②墓庭でそうめん箱などを利用して棺を急造する。

③本墓の袖垣に仮墓をつくり、一時そこにほうむる。

④大人が亡くなって本墓が開くとき洗骨して本墓へ移す。

⑤ナンカ祭などの供養も質素でほとんど身内だけでおこなう。

　幼児墓は、ワラビバカ（童墓）とか、スバヤル（側宿）などとよ
ばれ、一時的な仮墓として使用されるのが一般的である。幼児墓の
形態はさまざまであるが、最近はセメントやブロックで箱型に小さ
くつくるようになってきた。また、かつては6歳くらいの幼児まで
は屋敷内にほうむっていたという地域もある。

●その他の葬法　自殺や溺死者、ハンセン病、ハブにかまれて死ん
だ人はヤナジニ（悪死）といって忌みきらわれ、一般のような丁
重な葬式はしない。ハンセン病の死者はことにきらわれ、龕にも
のせず屋敷裏から出棺した。戦争など海外で死んで遺骨が届かない
ときは、旅立った方角の浜でタマシーマヌチ（魂招き）をおこなう。
そして、浜でひろった四十九個の小石を仮墓にほうむっておき、の
ちに本墓が開いたときにこれを移す。

　一年以内に同じ家で続いて死者が出たときは、二度あることは三
度あるといって、ニワトリやたまご、人形などを2人目の死者のと
きに副葬するならわしがある。

　盆の期間中に死ぬと、死者の頭にすり鉢をかぶせて送る。そのわ
けは、先祖はみなウンケー（お迎え）しているので、盆の期間に墓
をあけたら、あの世の者に泥棒とまちがえられ頭を打たれるからと
いう。しかし糸満市真栄里では、ウンケーの日に死ぬと、ヤーバン
サー（留守番の者）が来たといってよろこばれる。また、大晦日や
元旦に死ぬと1月2日以降に延期して葬式をする。

15. 葬具

● 棺箱　クヮンチェーバク、クヮンガイ、ガンなどといっている。杉材が主に使われるが、以前はデイゴの木を利用していた。とくに老人などは、前もって自分で製材し、棺箱用の板を天井などに保管しておく人もいたという。

● 白位牌　高さ20㎝、幅10㎝くらいのものでシルイフェーといっている。死者が出るといそいで2基の白位牌をつくり、1基は仏壇の前に四十九日までおき、もう1基は野辺送りで長男が持ち、墓前の前卓の上に飾るか、または墓におさめた棺箱の上におかれる。白位牌には、死亡年月日と中央に帰真霊位、その側に死者の姓名が記入されている。仏壇の白位牌は四十九日の焼香のとき、他の飾り物といっしょに墓庭で焼きはらう。

● 龕　遺体をおさめた棺箱を墓まで運ぶ朱塗りのみこし。一般にガンとよばれるが、コウ、ゴー、ゴウリュウ、アカンマーなどともいう。屋形・柱・戸などは組立式で、戸板には仏画や蓮の花などが描かれている。一般的に前後各2人でかつぐが、八重山地方では8人でかついだ。

● ティンゲー　朱塗りの長い棒の先に龍頭をつけ、その下にティンゲーバカマという紅白の布をつるしている。魔よけとして葬列の先頭から二番目に位置する重要なものだが、一般に恐れられており、だれも持ちたがらなかった。通常は龕とともに龕屋に保管された。

● 銘旗　死者の姓名および死亡年月日を記した白旗で、ふつう青竹1本につるすが、金持ちや知名人は数十本になる場合がある。墓庭に四十九日まで立てかけておく。

● 四流旗　白旗に仏諸行無常・法是生滅法・僧生滅滅己・宝寂滅為楽などの経文が書かれたもの。4組からなるので四流旗とよばれる。旗頭として、鳥や槍などの彫り物が取りつけられる。

▲多良間島の野辺送り

▲棺箱を墓まで運ぶ龕

▲魔よけの天蓋

▲死者の名まえを記す銘旗

▲四流旗

▲墓前の白位牌と香炉

Ⅴ　沖縄の墓

▲宜野湾御殿の墓　（那覇市首里末吉町）

1. 墓のあらまし

●南島の墓　沖縄では丘や畑のそばに、亀甲墓や家形墓が密集して建てられているのがよく目につく。また、いままで沖縄の集落をかけずりまわって気がついたことは、山中や海岸の岩穴・洞穴などに無縁の白骨が累々と積まれていることである。過去から現在まで集落に墓がまったく存在しないという土地はない。それほど墓は、わたしたちの社会に普遍的な存在であったし、現在もわたしたちの生活とは切っても切り離せないものである。

　社会の近代化にともなって、墓制は盛況を極めつつあるということができよう。そまつに扱ったために祟られて病気になったり、不幸をまねいたという話は全島を通じていわれていることで、これが墓のいちじるしい特色をなしている。もちろんこれにはユタ（巫女）の関与が大きく働いていることは認めなければならないが、いっぽうではそのような祟りに対する恐怖感に支えられて、墓制が根強く維持されてきた点を見のがすことはできない。

　ところで日本列島には、単墓制、両墓制、洗骨改葬墓制という3つの墓制が基本的に分布する。単墓制とは遺体をうめた地点に石塔をたて、それを祭祀の対象とする墓制である。両墓制とは、遺体をうめた地点には石塔をたてず、そことは別の場所にたてた石塔を祭祀する。さて、洗骨改葬墓制が沖縄や奄美にみられる南島の墓制である。これは遺体を風葬し、数年後に白骨化した遺骨を水で洗い浄めて壺や厨子甕などに入れ、それを墓や洞穴などにおさめて祭祀の対象とする墓制である。洗骨習俗は、南は与那国から北は奄美諸島をこえて分布している。

　しかし、この洗骨習俗も火葬が普及してからは変容した形でおこなわれている。すなわち水で洗い浄めることがなくなり、遺骨崇拝、とりわけ頭蓋骨尊重の思想は完全になくなってしまった。

●墓のよび名　一般にハカとよばれるが、シンジュ、ムージュ、チカジュ、ハルヤー、フカヤー、ムト、マチカニなどともいう。ハカという語は日本全国で古くから用いられており、そのことばの意味は『民俗学辞典』によると、区画された場所を示すものから生じたということである。たしかに沖縄では、まだ区画を示すことばとしても生きており、沖縄本島中南部ではたがやしかけた畑の一角をハカグチ、今帰仁村ではハーグチ、宮古島ではパカフツといっている。では、先述した墓のよび名はどんな意味をもつのであろうか。

シンジュの語意は明らかではないがムージュ（喪所）やチカジュ（塚所）の語から推して「信所」の意味と思われる。『沖縄文化史辞典』ではシンジュは先祖の意味であるとしている。

ハルヤーは「野の家」、フカヤーは「外の家」の意味である。これらのことばのもつ意味からして、墓が死者の家であることがわかる。フカヤーは竹富島のみで聞かれることばである。

ムトは「元」の意味であろう。これは与那国および宮古地方で聞かれることばで、旧平良市狩俣では宗家のことをムトといっている。

マチカニとは、石で巻いた鉄みたいな頑丈な墓という意味があり、亀甲墓などに代表される。

以上のほかにも墓にはいろいろなよび名がある。このことは墓の移り変わりが相当はげしかったことを暗示している。

●墓地と集落　沖縄の墓の位置は、その地域の地形に負うところが大きい。たとえば海辺の村では海岸の洞穴などを利用しており、山村であれば岩山の洞穴などを利用している。村墓や門中墓の古いのは、たいてい集落からやや離れたところにあり、戦後さかんにつくられている家族墓は、交通の便利な集落近くに設けられているのが特徴である。反対に都市地区では集落が墓地まで発展していったところもある。

沖縄の墓と本土の墓 土葬下
における本土の墓は、原初的なものになると竪穴をほり、棺桶をおさめて土砂をかぶせ石碑や板碑を立てる。そこには同じ墓を追葬墓として使用するという習俗はない。

　これに対して風葬を伝統とする沖縄の墓は、追葬が可能なようにくふうされている。沖縄では墓は永遠の住みかであり、現世の家は仮の宿である。したがって沖縄の墓には、入口（墓口）や庭（墓庭）があり、石垣囲いや母屋をかくすヒンプン（塀）などもみられる。

2. 墓の所有形態

　現在、一地方の墓制をとりあげてみても、村墓や模合墓、門中墓それに家族墓があるというふうに、きわめて複雑な墓制を形成している。しかしだいたいの場合、もっとも古い村墓はすでにすたれ、その面影のみをのこしている場合が少なくない。ここでは墓の所有形態から、その発生の新しいとおもわれる順、すなわち家族墓、門中墓、模合墓、村墓について紹介する。

●**家族墓**　家族単位で所有し、その成員だけをほうむる墓で、代々長男によって継承される。首里・那覇では首里王府時代から採用されていた。明治・大正期にかけて各地で普及したが、沖縄本島南部はいまでも門中墓が多く、家族墓が採用されてない地域といえる。

●**門中墓**　門中とよばれる父系親族集団で所有している共同墓のことである。もっとも一口に門中墓といっても、集落の父系親族集団が一体となって一つの墓を共有する形態から、これらの親族集団から枝分かれした兄弟がつくった小規模集団共有の墓、いわゆる兄弟墓とよばれる形態のものまである。門中墓は沖縄本島南部に比較的多く分布した墓として知られている。

●**模合墓**　友人や知人など気の合ったものどうしが経費を出しあっ

てつくった墓で、寄合墓ともよばれている。沖縄社会では金銭の相互融資機構である模合がさかんである。模合墓は、集落の範囲での模合が旺盛であった明治時代につくられたものが多く、それまでの村墓からぬけ出て、気のあったものどうしで広大な亀甲墓や破風墓をきずいた。この模合墓は沖縄本島南部や八重山地方では発達しなかった。

●村墓　村落共同体で墓を所有している形態で、地縁共同組織の発達している集落に維持されている墓制である。しかし、いまでは村墓はあっても利用されず、神墓として旧暦３月の「神御清明」に拝まれることが多い。

▲家族墓（那覇市識名）

▲門中墓（糸満市糸満）

▲模合墓（名護市汀間）

▲村墓（国頭村与那）

3. 墓の形と種類

　沖縄の墓の形態は葬法様式の変化にともない、ますます多様化してきているが、基本的には横穴式と平地式の2つに大きく分けられ、さらにつぎのような図式に細分化される。ここでは各墓の形式についてふれることにする。

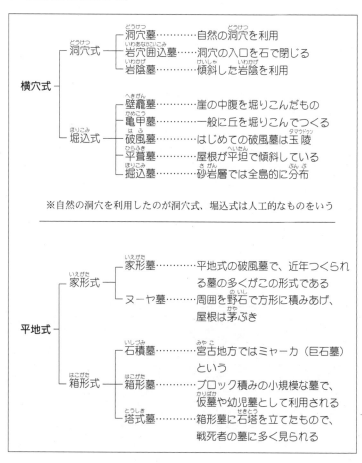

横穴式
　洞穴式
　　洞穴墓…………自然の洞穴を利用
　　岩穴囲込墓……洞穴の入口を石で閉じる
　　岩陰墓…………傾斜した岩陰を利用
　堀込式
　　壁龕墓…………崖の中腹を堀りこんだもの
　　亀甲墓…………一般に丘を堀りこんでつくる
　　破風墓…………はじめての破風墓は玉陵
　　平葺墓…………屋根が平坦で傾斜している
　　掘込墓…………砂岩層では全島的に分布

※自然の洞穴を利用したのが洞穴式、堀込式は人工的なものをいう

平地式
　家形式
　　家形墓…………平地式の破風墓で、近年つくられる墓の多くがこの形式である
　　ヌーヤ墓………周囲を野石で方形に積みあげ、屋根は茅ぶき
　箱形式
　　石積墓…………宮古地方ではミャーカ（巨石墓）という
　　箱形墓…………ブロック積みの小規模な墓で、仮墓や幼児墓として利用される
　　塔式墓…………箱形墓に石塔を立てたもので、戦死者の墓に多く見られる

（1）横穴式の墓

● 洞穴墓　洞穴（ガマ）を利用した墓はふつうガマバカとよばれている。旧具志川村大原のヤジャーガマの入り口近くにある墓は、典型的な洞穴墓の例である。座間味村座間味の村墓「アカエー」も海岸の岩穴を利用したものである。これらの洞穴墓は山中や海岸線に多く発見され、現在の集落の墓としては忘れ去られたものが多い。そしてそのほとんどが、大和人墓とか姥捨山の伝説とむすびついている。

洞穴墓の分布は広く沖縄全域にまたがっており、もっとも原初的墓制であったことを示している。近年、これらの洞穴墓を囲い込んでしまったという例も多い。

● 岩穴囲込墓　人口が増加して人々の往来がはげしくなるにつれ、人々は遺骸の惨憺たる光景にたえきれず、また野犬やいのししの害から墓地をまもるために石垣をきずくようになったのであろう。

石垣市川平では、いまから300年前八重山の頭職にあった人が、原野に散在した無縁の遺骨をひとまとめにして、海岸の洞穴におさめたという。また、露天葬を維持していた久高島では、かつて犬を飼う習俗がなかったという。

囲込墓は、俗にチンマーサー（積み回し）とよばれ、周囲を一定の高さに積みあげたものと、岩穴を全部閉じてしまったものとに分けることができる。前者はチヂフギ墓（頂上開き墓）といわれ、後者への過度的役割をはたしている。

一般に古い囲込墓は、1m程度の高さにしか積みあげてなく、その遺構は現在でも無数に見ることができる。いっぽう全閉式のは、現在でもその機能が十分に生かされ使用されているものが少なくない。また、囲込墓は規模がすこぶる大きく、厨子甕でぎっしりと埋めつくされているのがふつうである。

●**壁龕墓** 崖の中腹につくられた堀込式の墓である。この種の墓はきわめて少なく、なぞにつつまれた墓制のひとつである。洞穴内には甕の破片と骨がわずかに埋もれているだけで、供養の痕跡はなにものこされてない。

分布は比較的広範囲であり、旧平良市狩俣の北西にあるセト岬の崖をうがってつくられた十数基の横穴群は、その代表的なものであろう。沖縄本島では、読谷村波平と高志保の海岸線一帯、旧勝連町津堅の北方海岸にこの式の墓が見られる。今帰仁村運天にある「百按司墓」の周辺の崖をうがった横穴式の墓もこのたぐいである。

これらの墓に共通していることは、横穴の規模が小さく、しかも密集して発見されることである。しかし、そのたしかな年代や発生過程については明らかでない。

●**亀甲墓** 屋根の部分が亀の甲の形をしているところからカーミヌクーバカとよばれている。墓をつくる方法は二通りあり、岩山に横穴を掘る方法と、石をアーチ状に組んで、その上に土砂をかぶせる方法がある。沖縄におけるもっとも古い亀甲墓は「伊江御殿家の墓」（那覇市首里石嶺）で、中国南部の影響を直接うけたものといわれている。

亀甲墓は破風墓よりも後代にあらわれたもので、構造からいっても類似した点が多い。また、一般庶民に浸透するまでにはかなりの時間がかかっているが、これは首里王府時代、庶民に亀甲墓や破風墓がゆるされていなかったためである。ところで、亀甲墓は俗に母体をかたどったものといわれ、人は死ぬとふたたび元のところへもどってくるという帰元思想のあらわれであるという。各部の名称にしても、人体の名称を使ったものが少なくない。

この墓の北限は伊平屋島までであり、与論島から北には見られない。南限は台湾・華南（福健省）方面までのび、さらに南まで分布

すると推定されるが、いまのところ明らかではない。

● **破風墓**　ファーフーバカとよばれるこの墓は、王家の風習がのちに庶民生活のなかに沈下して、今日のようにひろまったものである。この墓は沖縄本島に多く、大きいものは人の住めそうな家ほどの広さをしている。

　沖縄ではじめての破風墓は玉陵で、1501年、尚真王が父尚円王の遺骨を改葬するためにきずいたものである。墓室は岩山を背にして横穴を掘り、三基に分かれている。中室は洗骨前の遺骸を安置し、東室は洗骨後の国王と王妃、西室には正嫡を安置することになっている。

　首里王府時代、庶民が破風墓や亀甲墓をつくることは固く禁じられていた。これがゆるされるようになったのは、1879年（明治12）廃藩置県後のことである。

● **平葺墓**　平葺墓はヒラフチバーとよばれ、その構造は亀甲墓とよくにている。亀甲墓との大きな相違点は、屋根が平板でマユが一直線であること、両脇に円いウーシがないことである。

　この種の墓の分布はほぼ亀甲墓の分布と一致し、一般的傾向として亀甲墓よりは広壮さにおいて劣るものとされている。それは亀甲墓よりも建造費が少ないという理由によるらしい。

● **堀込墓**　砂礫岩層や粘板岩層に横穴を掘り、墓顔や袖をいろいろ自在にくふう装飾をこらした形式の墓で、俗にフィンチャーとよばれている。この墓は砂岩層（方言名ニービ）の発達している北中城村渡口から沖縄市泡瀬一帯にかけて多く見られる。

　また、砂岩層への堀込墓はほぼ全島的に分布し、とくに仮墓的色彩がつよく、費用ができるまでの臨時の墓としてつくられているようである。フィンチャーの特色は資材を全然要しないことで、単に墓口のフタのみに石材が用いられている。

▲洞穴墓（座間味島）

▲岩穴囲込墓

▲岩陰墓（平安座島）

▲壁龕墓（今帰仁村運天）

▲亀甲墓（那覇市繁多川）

▲破風墓（読谷村長浜）

▲平葺墓（恩納村真栄田）

▲堀込墓（粟国島）

　墓の発生　沖縄の旧石器時代の墓については不明だが、新石器時代になると、墓地の構造が明らかになってくる。読谷村渡具知にのこされた木綿原遺跡の墓地がそうである。墓地は海岸から約50m、貝塚からおなじく50m離れた砂丘上にあり、ここから7基の箱式石棺墓（約2300年前）と、17体の人骨が発見された。これらの人骨は土葬で、改葬のあとはみられない。しかし、おなじ時代の大当原遺跡（読谷村波平）の洞穴からは、土器におさめられた頭骨が発見されており、改葬された痕跡がある。

　つぎに墓の変遷過程を知る手がかりとして、王朝時代の早い時期につくられた墓をあげてみる。

1262年
○英祖王が極楽山に墓をつくる。浦添ようどれ（洞穴囲込墓）

1439年
○尚巴志が死去する。天山陵（堀込墓・那覇市首里）

1458年
○護佐丸がほろぶ。

　当初は岩穴囲込墓で、その後亀甲墓に改められる。（中城村）
○阿麻和利がほろぶ。

　（岩穴囲込墓・読谷村）

1501年
○尚真王が父尚円王を改葬する。

玉陵（破風墓・那覇市首里）

(2) 平地式の墓

●ヌーヤ墓　ヌーヤとは「野の家」の意味である。実際、野原に自然石を方形に積みあげ、屋根を茅でふき、そまつな住居のようにきずいたものである。戦後もしばらくの間、八重山の竹富島や新城島にはのこっていた。明治年間、アダン林のなかにあった国頭村与那の村墓も小屋式の墓であったという。

久米島の仲里村島尻の丘にそびえているタカバカ・ナカモー・アンタバカ・アカブシヌハカなどの石墓は、明治時代までは茅やクバの葉で屋根をふいていたが、台風などによって破壊され、その後は珊瑚礁の平石でおおわれている。

●家形墓　平地に築造した家形の破風墓で、方言ではヤーグヮーバカといわれている。かつての破風墓が岩壁を背にして墓室を形成したのに対し、家形墓はブロック造りになっている。

これらの様式は戦後の火葬と合致したもので、こじんまりしたのが多く、本源地は識名霊園（那覇市）にもとめることができそうである。近年つくられる墓の多くがこの形式で各地に普及している。

●石積墓　石積墓はヌーヤ墓とおなじく先島で顕著で、ヌーヤ墓のあとに発生したものと思われる。しかし、直接ヌーヤから発生したものか、あるいは大陸の巨石墓移動の流れをくむものであるかは断定できない。

宮古では、この種の石積墓はミャーカとよぶ。現在のこっているのは士族階級の巨大なものだけで、墓のつくりは精巧である。八重山では、単にケズリグスクバカとかアンガサーバカという風に、その石質の材料の用途によってよんでいる。

竹富島や石垣市川平では、粗末な一般庶民のものから、長方形のやや精巧な士族階級の墓まで存在している。庶民の墓は直径2mほどの円錐状のもので、高さは1m程度である。

● 塔式墓　塔式墓は、日清、日露戦争による戦没者や特別弔葬による勲功碑墓に由来する。方形の箱形の上に碑をたてたもので、近年わずかながらその建造が見られ、今後の流行が注目されている。

● 箱形墓　箱形墓はコンクリート・ブロック造りの墓で幼児墓や仮墓として利用されている。戦後の火葬の普及とともに、埋葬式のこれまでの幼児墓に取ってかわってきた。前時代にあえてその遺構を求めれば石棺墓があげられるが、それから直接発生したのではなく、亀甲墓や破風墓、あるいは岩穴囲込墓などの袖に小石を積み重ねてつくった幼児墓（仮墓）に由来したものと見るべきである。

▲ヌーヤ墓（竹富町新城島）

▲家形墓（那覇市識名）

▲石積墓（仲里村島尻）

▲塔式墓

4. 墓の構造

　墓の構造は基本的には、屋根・墓室・墓庭の3部門からなる。亀甲墓と破風墓、平葺墓のちがいは屋根の部分にあり、墓室や墓庭の構造はほぼおなじである。ここでは亀甲墓を通して、沖縄の墓の構造についてふれることにする。ただし、墓の各部の名まえは、地域によって多少ことなる場合もある。

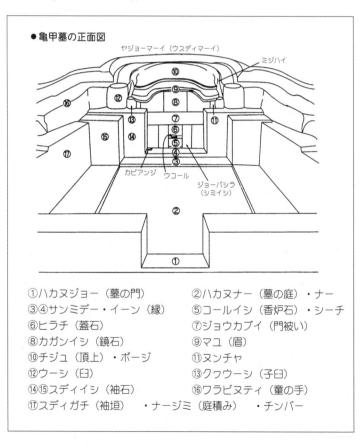

●亀甲墓の正面図

①ハカヌジョー（墓の門）　　　　②ハカヌナー（墓の庭）・ナー
③④サンミデー・イーン（縁）　　⑤コールイシ（香炉石）・シーチ
⑥ヒラチ（蓋石）　　　　　　　　⑦ジョウカブイ（門被い）
⑧カガンイシ（鏡石）　　　　　　⑨マユ（眉）
⑩チジュ（頂上）・ボージ　　　　⑪ヌンチャ
⑫ウーシ（臼）　　　　　　　　　⑬クヮウーシ（子臼）
⑭⑮スディイシ（袖石）　　　　　⑯ワラビヌティ（童の手）
⑰スディガチ（袖垣）　・ナージミ（庭積み）　・チンバー

● 亀甲墓の内部

①シルハラシドゥクマ
②～⑤タナ（棚）・ダン（段）
⑥⑦スバダナ（側棚）
⑧ノーシ（納所）・イケ

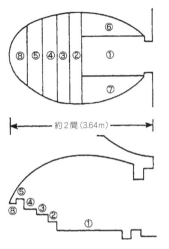

約2間（3.64m）

シルハラシドゥクマに棺を安置
し、洗骨後、遺骨を甕におさめて
タナに置く。タナにはいちばん下か
ら順々に置き、古いのは奥のほうに
よせ、最終的には33年忌をすませ
た骨をおさめるところのノーシに
合葬される。ノーシがないときは、
ウドングヮー（御堂小）という家
形厨子がおさまる程度のくぼみを
設けたのもある。

● 墓の平面図（石垣市白保）

①イリゾー（門）
②ミナガ（庭）
③シティ（ソデー）
④サンミンダイ
⑤⑥シティパカ
⑦ウチゾー（門）
⑧ナカトゥク
⑨ナカダン
⑩ウィダン
⑪グション（穴）

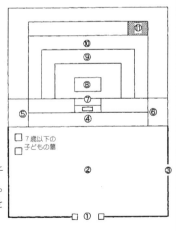

□ 7歳以下の
□ 子どもの墓

白保では、墓室のことをシロウチ
といい⑧～⑪の4か所を設けている。
これは棺を安置する場所と、遺骨を
おさめる場所の二重構造になる。

5. 墓の建築と儀礼

(1) 墓の建築

　沖縄では墓づくりは人生の三大事業といわれるほど、莫大な費用と労力を投じておこなわれる。とくに戦前までさかんであった亀甲墓などは、岩盤をくりぬいてつくるために半年以上もかかった。墓づくりのことを沖縄では、ハカブシン（墓普請）とか、ハルブシン、シンジュブシンといっている。

　墓づくりにあたっては、まず墓をつくる年を選定しなければならない。選定にあたっては家の新築とおなじように、専門のユタ（巫女）や三世相（易者）のところへ行き、戸主や家族の干支にあわせて日が選ばれる。石垣市宮良では閏年の盆行事をすませたあとの吉日につくる。糸満市与座では霜月に着工し、冬至までにはつくり終えなければならないとされている。

　墓の立地や向きについても気がくばられる。一般にこれらのことをフンシー（風水）といい、家相や地相を判断する専門の風水見に見てもらい、建てる場所、とくに墓口の方向を選定する。一般にいわれている風水にはつぎのようなものがある。

○墓口は南から少しずらす。（渡嘉敷村阿波連）

○墓口は東・北西・北東に向けない。（旧城辺町砂川）

○墓口は寅（東北東）の方向に向けない。（本部町備瀬）

○真東や真北に向けず、少しずらしてつくる。（旧玉城村糸数）

○墓口と墓口が向かいあうとよくない。（北中城村熱田）

○墓は川の流れる方向に向けない。（北中城村熱田）

○墓は自分の家と同じ方向につくらない。（読谷村座喜味）

○墓の前方に岩山があるとよくない。（中城村伊集）

○墓の後方が崖になっているとよくない。（中城村伊集）

○墓口を御嶽に向けてはならない。（石垣市白保）

（2）　墓づくりの儀礼

　墓づくりには家の新築と同じように、さまざまな建築儀礼がともなう。中城村伊集の墓大工（明治40年生）によると、落成するまでにティンダティ（手斧立て・地鎮祭）、シミイシ（隅石）を据えた祝い、ジョウカブイ（門被い）を据えた祝い、カブイ（天井）を据えた祝い、タナ（棚）をつくった祝い、マユ（眉）を据えた祝い、スージ（落成祝い）など7回の儀礼がおこなわれるという。

●地鎮祭　墓づくりの地鎮祭はどの地域でも重要視される。仕事をはじめるにあたり、「人夫にけががなく無事完成させてください」と、ヂーチヌカミ（土地神）へお願いするのが地鎮祭である。八重山の石垣市では、さとうきび・なす・味噌・餅・お酒一対・つかみ花などを供えて土地神への祈願をする。

　地鎮祭の祈願は、最近では僧侶にたのんでいるが、かつては棟梁や墓主、ノロ（神女）がおこなっていた。粟国村西では、地鎮祭をする人はサー（相）をあててきめ、その人はシンジュウフヌシ（墓の大主）とよばれて重要な地位をえる。

●中の祝い　中途での祝いはそれほどさかんではない。墓の各部、いわゆるシミイシ・カブイ・タナ・マユ・ウサンミデーを据えたときに祝いをする場合がある。大宜味村喜如嘉では墓の頂上がしあがるとクーアギヌウガンという祈願があり、ごちそうをつくって人夫にふるまう。

●落成祝い　墓が完成すると盛大な祝いが催される。これをハカヌスー

▲新築墓内でカリー（嘉例）をつける

ジ（墓の祝い）とか、スビユーエー（済み祝い）などといい、津堅島ではつぎのような手順で落成祝いがおこなわれる。

①墓が完成すると三世相（易者）に祝いの日を選定してもらう。

②祝いの前夜はユーグムイ（夜籠り）があり、親戚7人が墓のなかに入って夜通し三線で歌をうたう。家では子年生まれの人がひとりですわっている。

③夜が明けると、家にいた子年生まれの人がグーサン（杖）をついてやってきて、墓の前で「サリーサリー」と大声で3回合図をする。すると墓のなかの人たちもこれに答える。

つぎに子年生まれの人が「墓のなかでさわぐとは何事だ」というと、墓のなかの人たちは「今日は松金（墓）の祝いである」と答える。子年生まれの人は「エーアニー（ああ、そうですか）」といって帰ってしまう。

④子年生まれの人が帰ると、ノロ（神女）を先頭に臼太鼓の一団がやってきて、墓庭で円陣をつくり踊りを披露する。

⑤臼太鼓がすむと、墓のなかの7人が全員外に出てきて女を先頭にいったん家に帰る。それから改めてごちそうをもって墓にもどり落成祝いをする。そのときは墓の供養の歌をうたう。

供え物は、鶏2羽（丸ごと）・豚の頭2個・エビ2匹・カニ2匹などである。カニは生きたまま供え、祝いがすむと「墓の守り神になりなさい」といって逃がしてやる。ごちそうは豚肉一切れでも必ず竹にさして参加者にくばる。また、豚の頭は家に持ち帰って料理し、頭骨だけを墓にもってきて墓の裏側の北よりにうめる。

⑥祝いが終わると、主人だけは一般参加者より先に墓の裏から帰る。帰りも歌をうたいながらである。

津堅島と比較して、他の地域の例をいくつかあげてみると、ま

ず供え物として、筆や墨、紙銭などが用いられ、とくに八重山では供え物の数が多いのがめだつ。共通しているのは、カニやエビ、豚の頭を供え、カニを墓の守り神として放すこと、豚の頭骨を墓のなかや周辺にうめることである。また、墓主が一足先に帰ることも他の地域で認められる。

●旧勝連町津堅の墓造り祝い歌　　　　　　　　　　　　（「民俗」3号より）

ムチャジカン　アキテ	土塚も　開けて
イシジャン　ユシテ	石山も　とりのぞいて
チントマチガニヌ	なんとこのお墓の
ンケヌチュラサ	堂々たる姿であることよ

●大宜味村喜如嘉の墓造り祝い歌　　　　　　　　（「喜如嘉の民俗」平良豊勝より）

チューヌ　ユカルヒヤ	今日の　めでたい日は
チチンヒーンマサティ	月日の日取りもよく
フンシマチガニヌ	りっぱなお墓の
ユエーサビラ	お祝い致しましょう
ナンザムイ　クサティ	銀の森を　あとにして
クガニムイ　クサティ	金の森を　あとにして
フンシマチガニヌ	りっぱなお墓の
ンケーヌ　チュラサ	向き構えの　美しさよ
チチンヒチ　ヂュラサ	土もならされて　美しい
イシンタチ　ヂュラサ	石もりっぱに組み立てられて　美しい
ユユヌユートゥツトゥミ	世々代々
シソン　サカティ	子孫が　栄えますように
マカヤカヤブチャヤ	茅ぶきの家屋は
カリヤドゥルヤユル	仮宿でしかない
フンシマチガニヤ	りっぱなお墓は
ユユトゥマデ	永久の住まいである

6. 墓のまつり

　墓をまつる年中行事は少ない。旧暦1月16日のジュールクニチーと旧暦3月の清明祭、旧暦7月の七夕と盆、それに何年かおきにおこなわれる墓の年忌である。

● ジュールクニチー（十六日祭）　旧暦1月16日におこなわれる祖先供養の祭り。正月がイチミ（生者）の正月で、十六日祭はグソーヌソーグッチ（後生の正月）ともいわれている。

　もともとこの行事は古く、清明祭が普及するまえは沖縄本島中南部でも墓参りをともなう盛大なものであった。読谷村を例にあげると、戦前までは各戸とも墓参りをしていたが、戦後は清明祭に墓参りをするようになり、十六日祭はミーサー（新仏）の家だけが墓参りをおこなう。

　北部の大宜味村や国頭村、それに宮古・八重山では、現在もこの十六日祭がさかんである。墓前に供えるごちそうは、豚肉・かまぼこ・魚・山芋・てんぷら・豆腐・昆布などの重箱と、餅の重箱を一組にしたものである。

● 清明祭　清明祭はもともと中国から伝来したもので、古代中国の暦法でいうところの二十四節気の一つ清明の節におこなう祖先供養のまつりである。一般にこの行事は沖縄本島中南部がさかんで、北部や宮古・八重山ではごく一部でおこなわれているだけである。

　清明祭にはウシーミー（御清明祭）とカミウシーミー（神御清明祭）

▲神御清明祭のようす

のふたつがある。ウシーミーは一般家庭のまつりで、ごく身近な祖霊の墓、いわゆる現在使用中の墓のまつりで、カミウシーミーは一族や遠い祖先のまつられた墓、いわゆる神墓におけるまつりである。清明祭の日は大忙しで、主婦は祖先への供え物である重箱料理の準備、男は墓の草刈りなどの清掃をうけもつ。一般的に重箱料理は、餅重二箱と御三味を二箱をよういする。餅は二箱に15個ずつ入れ、御三味とよばれる重箱料理には、豚肉・魚・てんぷら・かまぼこ・昆布・豆腐・山芋など9品がつめられる。

●七夕　旧暦7月7日の七夕は、お盆行事を中心とした祖先供養のまつりで、本土にみられる星祭りの風習はない。七夕には、13日からのお盆に先祖を案内するため、酒やお茶、線香をたずさえて墓掃除にでかける。火葬が普及してない時代には洗骨がおこなわれた。

●墓の年忌　墓の落成祝いが終わって3日目にミッチャヌスクニチ（三日の祝日）がある。その後、人の法事と同様に1年忌、3年忌、7年忌、13年忌、25年忌、33年忌がおこなわれる。また、1年忌から13年忌のあいだに死者がなくて墓口が開くようなことがないと大変よろこばれ、13年忌に盛大な祝いをする。年忌の供え物は落成祝いのときとおなじである。

▲25年忌祝いの墓前への供え物

●**別れ遊び**　死んだ日から1週間ほど、墓に行って死者をなぐさめるワカリアシビ（別れ遊び）、ユートギ（夜伽）、ハナイチー（花活け）とよばれる風習が、明治から大正、地域によっては昭和初期までおこなわれていた。この風習の分布は、南は糸満市から北は沖永良部島までおよんでいるが、そのほかの地域でもおこなわれていたと考えられる。

浦添市沢岻の事例　20～30歳の若者が死んだ場合は、生前のモーアシビ（毛遊び）仲間が、死んだその日の夜から7日ごろまで墓に行って死者をなぐさめた。ワカリアシビの時間は、夕食をすませた7、8時ごろから10時ごろまでが多かったが、ときには夜中の2、3時まで遊ぶこともあった。墓に酒やお菓子などを供え、墓庭で三線をひき歌い踊って死者をなぐさめた。戦後はモーアシビもなくなり、このワカリアシビもおこなわれなくなった。

糸満市糸満の事例　友人や親戚10～20名で、夕方から夜の10時ごろまで三線や踊り、酒を酌み交わして死者をなぐさめた。ユートギ（夜伽）の理由については、「死者が寂しがっている」「墓から死装束を盗まれないための墓番」であった。

旧石川市伊波の事例　明治時代まで、ハナイチー（花活け）という死者との別れ遊びがあった。これは若者が死んだ場合だけで、その友人が家族のゆるしをえておこなった。葬式の夜の墓で、棺箱を墓庭に出して死者を抱き起こし、三線をひきながら歌い踊ってなぐさめた。

　以上が別れ遊びの内容である。ていねいなところでは死者を墓庭に出してすわらせ、酒を口にふくませて「マジューンアシバヤー」（いっしょに遊びましょう）といってなぐさめた。ただし、久米島や宮古・八重山から採集されてないのが気になる。また、戦後見られなくなったのは、青年男女によるモーアシビーの衰退と同調する。

■資料編

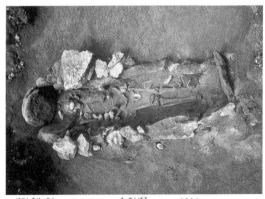

▲箱式石棺墓が出土した木綿原遺跡（読谷村）

1. 干支の読み方と順位表

●十干（じっかん）⇨

甲	乙	丙	丁	戊
きのえ	きのと	ひのえ	ひのと	つちのえ
己	庚	辛	壬	癸
つちのと	かのえ	かのと	みずのえ	みずのと

※十二支とともに、年・月・日や方角などをあらわした。

●十二支（じゅうにし）⇨

子：ね	丑：うし	寅：とら	卯：う	辰：たつ	巳：み
午：うま	未：ひつじ	申：さる	酉：とり	戌：いぬ	亥：い

※昔はこれで、年月日や時刻・方角などをあらわした。

●干支（えと）の順位表⇨

甲子	乙丑	丙寅	丁卯	戊辰	己巳	庚午	辛未	壬申	癸酉
甲戌	乙亥	丙子	丁丑	戊寅	己卯	庚辰	辛巳	壬午	癸未
甲申	乙酉	丙戌	丁亥	戊子	己丑	庚寅	辛卯	壬辰	癸巳
甲午	乙未	丙申	丁酉	戊戌	己亥	庚子	辛丑	壬寅	癸卯
甲辰	乙巳	丙午	丁未	戊申	己酉	庚戌	辛亥	壬子	癸丑
甲寅	乙卯	丙辰	丁巳	戊午	己未	庚申	辛酉	壬戌	癸亥

※十干と十二支を組み合わせ60年を1周期とする暦である。この組み合わせを年・月・日にあてて用いる。たとえば大正13年が「甲子」であるので、それから順番に乙丑、丙寅と数えていき、昭和11年は「丙子」の年であるということ。

2. 二十四節気の読み方と意味

季	節気	陽　暦	意　　　味
春	立春（りっしゅん）	2月4日頃	暦のうえで春がはじまる日。
	雨水（うすい）	2月19日頃	雨水がぬるみ、草木が芽を出す。
	啓蟄（けいちつ）	3月5日頃	冬眠していた虫が穴からはいだす。
	春分（しゅんぶん）	3月21日頃	春の彼岸の中日。昼夜の長さがほぼ同じになる。
	清明（せいめい）	4月5日頃	草木の若い芽がはっきりとしてくるころ。
	穀雨（こくう）	4月20日頃	穀物を生育させる春雨という意味。
夏	立夏（りっか）	5月5日頃	暦のうえで夏がはじまる日。
	小満（しょうまん）	5月21日頃	草木がしげり、陽気がさかんになる。
	芒種（ぼうしゅ）	6月6日頃	稲など、芒（のぎ）のある穀物の種をまく。
	夏至（げし）	6月21日頃	北半球の昼が一年中でもっとも長い日。
	小暑（しょうしょ）	7月7日頃	梅雨が上がって、暑さが本格的になる。
	大暑（たいしょ）	7月22日頃	一年中でもっとも暑さのきびしいころ。
秋	立秋（りっしゅう）	8月7日頃	暦のうえで秋がはじまる日。
	処暑（しょしょ）	8月23日頃	暑さが次第におさまり、残暑お見舞いのころ。
	白露（はくろ）	9月7日頃	草に露がやどるころで、秋らしくなる。
	秋分（しゅうぶん）	9月23日頃	秋の彼岸の中日。昼夜の長さがほぼ同じになる。
	寒露（かんろ）	10月8日頃	秋も深まり、五穀の収穫もたけなわ。
	霜降（そうこう）	10月23日頃	秋も終わりをつげようと初霜が降りる。
冬	立冬（りっとう）	11月7日頃	暦のうえで冬がはじまる日。
	小雪（しょうせつ）	11月22日頃	北風が強くなり、ちらほら雪が舞う。
	大雪（たいせつ）	12月7日頃	平地にも雪が降り、山の峰は積雪におおわれる。
	冬至（とうじ）	12月21日頃	北半球の昼が一年中でもっとも短い日。
	小寒（しょうかん）	1月6日頃	寒の入り。寒さがかなりきびしくなる。
	大寒（だいかん）	1月21日頃	一年中でもっとも寒いころ。

※二十四節気は季節の移り変わりを知るために中国で考え出されたものである。

3. 六輝の読み方と意味

先勝 （せんしょう）	急用や訴訟などによいという日。ただし、午後は凶となる。
友引 （ともびき）	この日は葬儀をおこなわない。朝晩は吉だが昼は凶となる。
先負 （せんぶ）	何事もひかえめを良しとする。ただし、午後は大吉となる。
仏滅 （ぶつめつ）	万事に悪い凶の日。新規に事を起こすのはよくないとされている。
大安 （たいあん）	何をするにも大吉の日。結婚式の日取りなどに好まれる。
赤口 （しゃっこう）	万事に悪い凶の日だが、正午のみ吉とされる日。

4. 沖縄と本土の長寿祝い

●本土の長寿祝い

（年齢は数え年）

年齢	名称	説明
61	還暦 （かんれき）	十干と十二支の組み合わせで暦を数えると、61歳で元の干支（えと）にもどる。そこで暦が還る、還暦とよばれるようになった。
70	古希 （こき）	中国の詩人、杜甫（とほ）の詩句「人生七十年古来稀（こらいまれ）なり」からついた名称である。
77	喜寿 （きじゅ）	喜の字の草書体（そうしょ）が「㐂」で、七十七に読めることからついた名称である。
80	傘寿 （さんじゅ）	傘の字の略字（かさ）が「仐」で、八十と読めることからついた名称である。
88	米寿 （べいじゅ）	米の字を分解すると、「八十八」になることからこの名がついた。
90	卒寿 （そつじゅ）	卒の略字が「卆」で、九十と読めることからついた名称である。
99	白寿 （はくじゅ）	百という字から「一」をとると白となる。白の字は、「百引く一」で九十九歳のお祝いとなった。

●沖縄の長寿祝い　数え年で61歳・73歳・85歳・97歳（カジマヤー）が長寿の祝いとなっている。12年ごとにおこなわれるもので、十干十二支思想からきている。88歳（トーカチ）にも盛大な長寿祝いがおこなわれる。

5. 文化財（建造物）指定の墓

● 玉陵 墓室石牆

国指定重要文化財
那覇市首里金城町

　第二尚氏王統歴代の墓陵。1501年、尚真王が父尚円の遺骨を改葬するために創建。石造の破風墓が3基連続している。

● 豊見親墓

国指定重要文化財
旧平良市字西仲宗根真玉

　仲宗根豊見親墓・知利真良豊見親墓・あとんま墓の3つが豊見親墓として指定されている。写真は知利真良豊見親墓。

● 小禄墓

県指定有形文化財
宜野湾市嘉数

　断崖をくりぬき前面に石垣を積みあげた古式の墓。1494年頃の建造といわれる。墓内の石厨子の銘は沖縄最古のかな文字。

● 伊是名玉御殿

県指定有形文化財
伊是名村字伊是名

　尚円王の父母および
親族が眠る墓。尚真王
代につくられるが、現在
の石造破風墓は1688年に
改修されたもの。

● 大城按司の墓

県指定有形文化財
旧大里村字大城

　14世紀ごろ、大城グス
クの城主であった按司の
墓。現在の墓は1892年に
つくられたもので、屋根
がドーム状になっている。

● 摩文仁家の墓

県指定有形文化財
南風原町字大名宮城原

　尚質王の次男で、摩
文仁家の始祖である尚
弘毅の拝領墓。平天
井など、まるで住居のよ
うな墓室の構造が特徴。

●伊祖の高御墓

県指定有形文化財
浦添市字伊祖真久原

　英祖王の父、恵祖親方の墓と伝わる。洞穴の前面に石垣を積みあげた形式の墓で、高所にあることから高御墓とよばれる。

●読谷山御殿の墓

市指定有形文化財
那覇市首里石嶺町

　尚敬王の次男尚和を始祖とする読谷山家の墓。亀甲墓としては古く、最大級の規模をほこり、墓庭にはヒンプンもある。

●久松みゃーか群

市指定有形文化財
旧平良市字久貝、字松原

　巨大な石灰岩の一枚岩を組みあわせた巨石墓で、この辺りに4基が確認される。創建は14〜16世紀と推定されている。

● 西ツガ墓

市指定有形文化財
旧平良市字下里

　岩壁を掘り降ろしてつくられており、アーチ門と周囲に空掘をめぐらしているのが特徴。ツガとは宮古の方言で升の意。

● 旧和宇慶墓

国指定重要文化財
石垣市字大川

　小高い丘を利用した洞穴式の古い墓。岩穴をさらに掘り込んで墓室にし、入口周辺を石垣で囲っている。17世紀末頃の築造。

● 義本王の墓

村指定有形文化財
国頭村字辺戸

　山中にある苔むした石造の墓。舜天王統3代目の義本は、1249年に即位するが、その後、位を英祖にゆずって消息をたつ。

● 百按司墓群 (ムムジャナ)

村指定有形文化財
今帰仁村字運天 (なきじんそんあざうんてん)

　尚徳王 (しょうとく) の遺族の墓と伝わる。ここから「弘治十三年九月　えさしきやのあし」と書かれた木棺 (もっかん) が見つかっている。

● 大北墓 (ウーニシ)

村指定有形文化財
今帰仁村字運天 (なきじんそんあざうんてん)

　初代の北山監守 (ほくざんかんしゅ)・尚韶威 (しょういし) の子孫 (しそん) がまつられている。今帰仁城下にあった墓がくずれたため、1761年につくられた。

● 池城墓 (イチグスク)

村指定有形文化財
今帰仁村字平敷 (なきじんそんあざへしき)

　墓庭 (はかにわ) の石碑に、康熙 (こうき) 9年（1670）に築いたと記されている。外壁は切り石積 (いし) みで、石造の屋根には垂木 (たるき) も彫られている。

●小港松原墓

村指定有形文化財
旧具志川村字西銘新田原

蔡温が場所を選定した墓。墓型は亀甲型であるが、マユの下に垂木がついている。墓室はりっぱなアーチになっている。

●伊江御殿墓

国指定重要文化財
那覇市首里石嶺町

尚清王の第七子を初代とする伊江家の墓。1687年、中国人の設計施工による。沖縄での亀甲墓の始まりとされる。

● あとがき

　沖縄県は53市町村と42の有人の島からなる。民俗学を志すものは、できるだけ多くのシマ（集落）を訪ね歩き、その土地の民俗にふれようとする。筆者も大学に入ると同時に、仲間たちといっしょに各地の民俗調査をおこなった。人生儀礼について調査をしたのが、1964年の夏で、中山盛茂教授を団長とする多良間島の調査であった。その翌年には湧上元雄教授を団長とする石垣市川平、その次の年には徳之島金見の調査に参加した。

　以来30年余の民俗調査で印象に残ったものとしては、つぎのようなことがらがあげられる。そのひとつは出産の際のイーヤー（胞衣）を埋める儀礼である。多くの地方では、台所の裏の雨だれの落ちないところにイーヤーを埋める。そのとき、近所の子どもたちを笑わせながら、ほがらかな子に成長するように祈願する。ところが、仲里村比屋定では、門から入った左側に埋め、その上にススキを植えていた。結婚式における披露宴の変容も印象深い。かつては自宅でおこなっていたものが、今日では300〜500名も収容できる式場を借りておこなうようになっている。葬制面では火葬の普及があげられる。火葬は洗骨の風習をなくし、従来3〜5年のシルヒラシの期間を待って洗骨改葬するという信仰に大きな影響を及ぼした。それだけに、座間味村座間味でおこなわれている門中そろっての海浜での洗骨に

は感無量のものがある。墓については、ススキでつくった三角錐状の童墓を糸満市喜屋武、渡嘉敷村阿波連、石垣市川平で確認でき、竹富町新城島では消失寸前のヌーヤー墓と対面できたことが忘れられない思い出である。

　また、筆者はこれまで特に葬制・墓制の民俗調査を数多くおこなってきた。市町村史編集のための依頼で執筆したのは、那覇市・浦添市・宜野湾市・西原町・北谷町・北中城村・読谷村・宜野座村・渡名喜村・座間味村などで、たくさんの墓を調査してきたことが役立っている。本書の編集もこれまでの資料収集が土台となっている。

　本書は専門書ではないができるだけ多くの事例をとりあげるように努力した。一つひとつの儀礼やしきたりの中に、わたしたちの祖先がなにを考え、どう生きてきたかをさぐる糸口があるという考え方に立って、「人の一生」を紹介する本にしたいと心がけた。

　最後に、この本をつくるにあたって参考にした文献、写真や資料を提供してくださった方々に、あらためて感謝申しあげたい。また、本書を企画し、編集から出版までこぎつけていただいた沖縄文化社に心から感謝するものである。

1999年5月12日　　　　　　名嘉真宜勝

● 主な参考文献一覧 ─────────────────────────

「沖縄・奄美の葬送・墓制」〈名嘉真宜勝・恵原義盛〉　　　　　　　　明玄書房
「上勢頭誌」（上巻）〈名嘉真宜勝〉　　　　北谷町上勢頭字誌編集委員会
「沖縄民俗研究」（第3号）　　　　　　　　　　　　　　　　沖縄民俗学会
「沖縄民俗」（第12号）　　　　　　　　　　琉球大学民俗研究クラブ
「沖縄民俗」（第14号）　　　　　　　　　　琉球大学民俗研究クラブ
「那覇の民俗」　　　　　　　　　　　　　　　　那覇市史編集委員会
「沖縄大百科事典」　　　　　　　　　　　　　　　　沖縄タイムス社
「読谷村立歴史民俗資料館紀要」（第12号・第13号）　読谷村立歴史民俗資料館

● 写真資料提供 ─────────────────────────

沖縄県立博物館　　　　　　　　読谷村立歴史民俗資料館
具志川村教育委員会　　　　　　平良市教育委員会
石垣市教育委員会　　　　　　　平安座自治会館
伊波興諄　　　　　　　　　　　南風原文化センター

● 著者略歴

名嘉真宜勝（なかま　ぎしょう）
1943年沖縄県生まれ。東京教育大学卒業。
県立高校教諭を経て、前読谷村立歴史民俗資料館館長。
県文化財保護審議委員（第5民俗専門部会）。
主な著書に「沖縄・奄美の葬送・墓制」（共著／明玄書房）
ほかに数多くの論文・報告書がある。

● 写真撮影

名嘉真宜勝　　徳元葉子

沖縄の人生儀礼と墓

1999年6月3日　第1刷発行
2012年9月19日　第5刷発行

著　者　名嘉真　宜　勝
発行者　徳　元　英　隆

発行所　有限会社沖縄文化社
　　　　E-mail : info@okibunsha.co.jp
　　　　http://www.okibunsha.co.jp/

〒902-0062 那覇市松川 2 - 7 - 29
電　話 (098) 855-6087
Ｆ Ａ Ｘ (098) 854-1396

印刷／沖縄コロニー印刷

沖 縄 文 化 社 の 本